Au secours,
les Anglais nous envahissent !

José-Alain Fralon

Au secours,
les Anglais nous envahissent !

ÉDITIONS MICHALON

© 2006, Éditions Michalon
14, rue Monsieur-le-Prince – 75006 Paris
www.michalon.fr
ISBN : 2-84186-296-8

À mes amis du Monde, *en souvenir de vingt ans de bonheur*

Sommaire

À nos ennemis intimes

Enfin, vous revoilà.

Non seulement, vous nous volez « nos » Jeux olympiques mais, sans vergogne, vous investissez nos villes et nos campagnes.

C'est vrai que nous nous étions un peu perdus de vue ces derniers temps. Nous commencions même à solidement nous ennuyer de vous.

En désespoir de cause, nous avons même conclu un mariage de raison avec les Allemands. C'est dire.

De temps en temps, nos ministres se disputaient bien un peu, sur le financement de l'agriculture européenne ou d'autres dossiers bruxellois, mais ces querelles de boutiquiers paraissaient bien fades. Du besogneux, de l'étriqué, indignes de la splendeur de nos querelles passées.

Grand-père, parlez-nous de Fontenoy et de Fachoda !

Bref, nous avions l'impression d'avoir été abandonnés par notre meilleur ennemi. Notre plus vieux, plus sincère, plus profond ; notre plus merveilleux ennemi : Vous.

Et vous revoilà, comme aux premiers jours.

Vous vous installez chez nous.

Avec une perverse délectation, nous redécouvrons alors ce sentiment étrange éprouvé à l'égard d'une personne connue mais toujours insaisissable.

D'accord, nous ne savons pas trop ce que nous pouvons faire avec vous.

Sans vous, c'est encore plus dur.

AVANT-PROPOS

Des nouvelles du front

Dompierre-les-Églises est tombé ! Cinquante-quatre familles anglaises ont déjà acheté une maison dans ce bourg de moins de quatre cents habitants, situé à cinquante kilomètres de Limoges.

Couesmes-Vaucé est en danger : un Anglais ne vient-il pas de racheter un bar, menacé de disparaître, dans ce village de Mayenne ?

À Lagrasse, dans l'Aude, la moitié des cent vingt résidences secondaires appartiennent désormais à des Anglo-Saxons et un correspondant de *La République du Centre*, s'interroge : « Le Sancerrois va-t-il se mettre au cricket ? »

Dans la Haute-Vienne, quarante nouvelles demandes de dossiers sont chaque semaine introduites par des sujets de Sa Gracieuse Majesté auprès de la caisse d'Assurance maladie, et, en Poitou-Charentes, trois notaires sur quatre se sentent obligés de prendre des cours d'anglais.

Les Britanniques représentent la première population étrangère de Bretagne et sur les dix mille habitants de Chamonix, mille sont anglais.

Encore des dépêches ?

Elles nous apprennent que le duc de Westminster a acheté une partie du marché aux puces de Saint-Ouen et que Saint-Nom-la-Bretèche, l'une des plus célèbres communes de l'Île-de-France est maintenant surnommée Saint-Nom-les-British.

Grâce à Airbus, la communauté britannique de Toulouse est devenue l'une des plus importantes de France, avec près de cinq mille membres permanents et plus de vingt mille personnes en été. Si Nice n'est plus, comme le disait Alexandre Dumas, « une ville anglaise où l'on peut rencontrer des Français », elle a gardé son imposante colonie anglaise.

Les vigies signalent la présence de l'ennemi dans le Pas-de-Calais et des menaces pèsent aussi sur Lyon, la capitale des Gaules, où la branche locale de l'association France Grande-Bretagne, réactivée en 2001, annonce qu'un des groupes de conversation franco-britannique « affiche complet ».

Et si l'on parle aujourd'hui de Camembert, symbole s'il en est de la France éternelle, c'est pour évoquer les chicanes clochemerlesques opposant le maire de la ville à une citoyenne britannique qui veut transformer sa maison en musée du célèbre fromage.

Pourquoi le nier ? Les nouvelles du front sont de plus en plus angoissantes. De Dunkerque à Perpignan, de La Rochelle à Chambéry, du café des Sports de Romorantin au Ritz de Paris, des plaines de la douce Touraine aux montagnes des Alpes, le cri monte chaque jour avec plus de force : «Les Anglais nous envahissent ! »

Sans violence, ni physique ni verbale. L'agent immobilier a remplacé le soudard ou le missionnaire. L'invasion est insidieuse, doucereuse. Hier, le château délabré, racheté «pour une bouchée de *cookies* ». Aujourd'hui, l'épicerie et le bar. Et demain ?

L'Anglais arrivant souvent masqué, il est difficile de savoir exactement leur nombre. « Quand on me demande le nombre de Britanniques dans le Sud-Ouest, je réponds trente mille. C'est un chiffre que je tiens de mon prédécesseur, qui le tenait lui-même de son prédécesseur et que je transmettrai à mon successeur. Quant à la pertinence de ce chiffre, je n'en ai aucune idée », ironisait en mai 2004 Tom Kennedy, consul général de Grande-Bretagne à Bordeaux. Trêve de cachotteries : selon certains experts, près de cinq cent mille Anglais vivraient aujourd'hui dans l'Hexagone.

Jacques Chirac a déjà réagi. Évoquant les résidents britanniques dans son cher département de Corrèze, le président de la République s'est félicité de la manière dont ils mettent en valeur le patrimoine. Pour aussitôt regretter que l'anglais soit trop parlé dans les cafés locaux.

Et l'odeur du rosbif, Monsieur le Président ?

Déjà, nous avons trouvé la parade. Si les Anglais viennent si nombreux en France, ce n'est pas parce que leur pouvoir d'achat est plus élevé, leur économie plus dynamique, leurs méthodes plus modernes. Sans évoquer leur habitude impériale à s'installer ailleurs.

Non, c'est tout simplement parce que notre pays est plus beau, plus agréable, plus convivial, plus ensoleillé, plus humain, plus social que le leur. Et d'aller jusqu'à plaindre ces pauvres Anglais victimes du terrible, barbare, dangereux « modèle anglo-saxon ». Arroseurs arrosés, ils ne font donc que fuir l'horreur pour venir se lover dans notre cocon français.

Comment ces Anglais vivent-ils au jour le jour dans leurs nouvelles terres de conquête ? Et comment les Français cohabitent-ils avec l'envahisseur ?

Pour répondre, nous nous sommes promenés dans la « Françangleterre » du Périgord, région où la présence anglaise est la plus ancienne et la plus prégnante.

Une promenade qui démarre dans un aéroport.

CHAPITRE 1

Objectif : l'aéroport

Tout commence le 23 mars 2002. Ce jour-là, cent quatre-vingt-six ans, neuf mois et cinq jours après Waterloo, la compagnie *Buzz* inaugure le premier vol à bas prix entre Londres et Bergerac. « Il y avait des Anglais partout, on explosait ! », se souvient avec émotion un des témoins privilégiés de cette *« Blitzkrieg »*, Bernadette Biato, la patronne du bar de l'aéroport de Bergerac. La nouvelle invasion britannique du Périgord démarrait.

En quelques années, la toile d'araignée s'est étendue : Londres, Liverpool, Nottingham, Southampton, Bristol et Birmingham ont aujourd'hui des liaisons régulières avec la cité périgourdine, qui accueille deux cent cinquante mille passagers par an, dont 92 % de Britanniques. Et deux nouvelles destinations sont prévues : Exeter et Leeds. La réussite a fait des émules dans la région. À Limoges, environ cent soixante-dix mille passagers ont emprunté en 2005 les lignes vers l'Angleterre. À Brive et Périgueux, on réfléchit à l'ouverture de lignes vers Londres. Sans parler de tous les autres aéroports français, de Beauvais à Nice et de Rennes à Lyon, où se déverse chaque jour un flot de passagers en provenance d'outre-Manche.

Comble de l'humiliation, la liaison avec Paris ayant été abandonnée, il n'y a désormais plus de vol régulier entre Bergerac et une ville française. Si, en mai 2005, les hôtesses de l'air ne purent retenir leurs larmes dans l'avion qui effectuait le dernier vol Paris-Bergerac, tous n'ont pas eu ce beau réflexe patriotique. L'aéroport de Bergerac est en effet devenu anglais avec la collaboration manifeste des principaux agents économiques de la région, et la bénédiction d'une grande majorité de Périgourdins [1].

Pour raconter l'histoire de cette guerre des airs, perdue avant même d'être livrée, les historiens de demain commenceront sans doute par évoquer la cible choisie par nos meilleurs ennemis : un petit aéroport s'endormant tranquillement aux abords d'une petite ville cossue. Avec des noms, comme ils les aiment, fleurant bon le terroir. Situé d'abord à Picquecailloux, puis sur le plateau de Roumanière, l'aéroport de Bergerac doit son développement à Henri Bouchillou, élu en 1946 président de la chambre de commerce et d'industrie (CCI). Ce fabricant de peintures, un des premiers Bergeracois à piloter un

---

1. Périgourdins ou Périgordins ? Selon certains puristes, un habitant de Périgueux est un Périgourdin et un habitant du Périgord, un Périgordin. Comme les uns et les autres tiennent à cette dénomination de Périgourdins, nous nous sommes conformés à la tradition locale.

avion, est passionné de vitesse : au volant de sa Ford V8 n'a-t-il pas parcouru les cinquante kilomètres séparant Bergerac de Périgueux en trente minutes ?

On évoquera aussi l'échec de la « solution française ». Depuis 1969, date de la première liaison Périgueux-Bergerac-Paris, assurée par un *Piper Atzec* de cinq places, la fréquentation qui oscille entre dix mille et vingt mille passagers par an a toujours été insuffisante. Gilles Jobard, directeur de l'aéroport, évoque pourtant avec un rien de nostalgie la calme routine qui régnait sur son domaine avant le déclenchement des opérations. « Les passagers semblaient délicieusement ravis de se poser sur un aéroport aussi confidentiel, où tout se faisait à la bonne franquette : même salle pour les arrivées et les départs, peu ou pas de contrôles. Lorsque c'était la saison, avant de monter dans l'avion, certains Anglais cueillaient des prunes directement aux arbres qui bordaient la piste. J'en ai même vu qui en remplissaient des petits cageots ! »

Arrive le temps des Anglais. Des Anglais qui, insularité oblige, prennent beaucoup plus l'avion que les Français et ont été à la pointe de la compétition en matière de voyage à bas prix. Alors que les Français continuent de considérer l'avion comme un moyen de transport réservé à l'élite, les Britanniques, suivant en cela l'exemple de leurs cousins américains, décident de le démocratiser et de casser les prix avec leurs compagnies *low cost* : tarifs jusqu'à vingt fois inférieurs à ceux des compagnies traditionnelles, classe unique, sandwichs payants, réservation par Internet. Et ça marche.

Pourquoi pas en France ? Le nombre d'aéroports y est beaucoup plus élevé que dans les autres grands pays européens. Une charge importante pour les pouvoirs publics, mais une affaire pour les *low cost* qui adorent s'installer dans les aéroports secondaires, moins rapaces que les « grands » en matière de taxe d'embarquement.

Les Britanniques ont senti la truffe : leurs compatriotes ne sont-ils pas de plus en plus nombreux dans le Périgord. Alors, pourquoi ne pas exploiter cet engouement, se servir de cette cinquième colonne, et accélérer le mouvement ? D'autant qu'ils peuvent aussi compter sur l'appui des responsables politiques et économiques locaux qui multiplient les incitations financières pour attirer les compagnies. Le « deal » est simple : « nous vous donnons tant d'argent par an, à vous de remplir vos avions et nos aéroports », disent les édiles régionaux. « Nous vous envoyons tant de passagers, à vous de vous servir sur la bête », répondent les responsables des *low cost*. Reste à s'entendre sur les chiffres.

Première entreprise contactée : Ryanair. Fondée en 1985 par la famille Ryan – imagine-t-on une compagnie aérienne Durandair ? –, Ryanair, devenue une des premières compagnies à bas prix d'Europe, transporte aujourd'hui plus de soixante-dix millions de passagers.

Début 2000, une délégation de la chambre de commerce, se rend à Londres pour négocier avec les responsables de Ryanair. Le courant passe mal entre les notables régionaux français, compassés et cravatés, et les « pirates » de la compagnie irlandaise, en jeans et baskets. Deux conceptions des affaires. À Bergerac, certains se souviennent encore de l'offense : « Ils nous ont reçus à la cafétéria ! », et semblent regretter les temps où de tels camouflets se réglaient sur les champs de bataille.

Une autre compagnie, Buzz, emportera le marché et la « subvention » de 2,6 millions d'euros. Cela, grâce notamment à la collaboration active d'un ancien homme d'affaires néerlandais, Nicolas van Oudgaarden, qui a mis ses relations au service de la chambre de commerce. Installé depuis 1986 dans le Périgord, cet homme élégant, « Nico » pour les intimes, est un des rares « non-Britanniques » accepté dans les cercles les plus huppés de la bonne société anglaise du Périgord. Il est vrai qu'il a épousé une Anglaise et qu'il a reçu l'Ordre national du Mérite. Bref, « Nico », fidèle à ses ancêtres bataves combattant auprès des Anglais à Waterloo, prend les choses en main, et téléphone directement aux dirigeants de Buzz, qu'il connaît bien. L'affaire est dans le sac.

Et c'est, le 23 mars 2002, l'arrivée du premier vol en provenance de la capitale britannique. Les édiles y vont de leurs discours et les passagers reçoivent tous une bouteille de bergerac. Le succès est incontestable : de mars 2002 à juin 2003, quarante-huit mille personnes feront le voyage de Londres.

Les discussions reprennent avec Ryanair, qui a racheté une partie des actifs de Buzz. Une nouvelle équipe a pris les rênes de la chambre de commerce. Son patron, Jean-Pierre Conte, a fait fortune dans les accessoires de jardin. Un Français de chez Français, le Jean-Pierre ! Cheveux blancs coiffés dans une brosse drue, maxillaire avantageux, accent de Paname, bagout du charmeur et regard perçant du rapace, pas question de lui marcher sur les arpions ! Une formule revient à chaque détour de son discours : « tout ça fait un beau paquet de pognon ».

Sous sa houlette, une délégation de la CCI fait à son tour le voyage à Londres pour rencontrer les dirigeants de Ryanair. « Nous arrivons, raconte Jean-Pierre Conte, devant un bâtiment rectangulaire. Au premier étage, celui de la direction, un long couloir avec, de chaque côté, des bureaux tout simples, vitrés, et des salles de réunion. Le responsable de notre dossier, Bernard Berger, a comme bureau une simple planche posée sur des tréteaux. D'une main, il écrit avec une vieille pointe Bic sur un cahier d'écolier, de l'autre, il fait ses comptes sur sa calculette : un beau paquet de pognon ! »

La délégation rencontre ensuite le patron de Ryanair, Michael O'Leary. Fort en gueule, sûr de lui, cet Irlandais de quarante-deux ans s'est déjà imposé comme un des grands du secteur. Cette fois, les petits Français sont bien décidés à ne pas se laisser impressionner par le « look » de leur vis-à-vis. Pas même par les splendides babouches que Michael O'Leary porte le jour de la rencontre.

L'accord est signé. Ryanair s'engage à « fournir » quatre-vingt-cinq mille passagers par an. Été comme hiver, il faudra remplir les avions. La partie est gagnée grâce à une intense campagne de publicité et des opé-rations marketing des plus racoleuses. Ne va-t-on pas jusqu'à distribuer mille billets gratuits ? Vous avez voulu quatre-vingt-cinq mille passagers, vous les aurez ! Pari d'autant plus facile à tenir pour les Anglais que les énormes campagnes de pub incitant à visiter le Périgord, via Ryanair évidemment, sont financées par les contri-buables de la région.

Les chiffres sont là, qui montrent la réussite du « tout anglais » : le nombre de passagers passe de seize mille en 2001 à deux cent cinquante mille en 2005. Pour le mois d'août 2004 : trente-cinq mille passagers. Et mille trois cent cinquante-cinq pour la seule journée du 30 juillet 2005.

Londres devient aussi la plaque tournante de la région. Un Néerlandais du Périgord y fera escale pour se rendre à Rotterdam, un Allemand pour Francfort. Et certains Français n'hésitent pas à passer par la capitale anglaise pour aller de Bergerac à Lyon.

La *furia anglese* a tout balayé sur son passage. Finie, la bucolique cueillette des fruits sur le tarmac ; oubliée, l'absolue certitude de pouvoir garer sa voiture ; évanouie, la bienheureuse solitude dans un bar troublé par le seul bruit du percolateur. Place maintenant à une salle d'embarquement en préfabriqué, avec une toile de tente en guise de toit. « Froide l'hiver, chaude l'été », commente un habitué ; à un parking ridiculement petit pour accueillir les six cents véhicules journaliers, dont trois cents pour les seules sociétés de location de voitures ; et à un bar rempli du matin au soir. Et les nostalgiques d'évoquer le temps où « un avion pouvait attendre une demi-heure un passager en retard ». Une courtoisie désuète, considérée comme une pratique d'un autre âge par les *low cost*.

Des désagréments qui n'empêchent pas les responsables d'évoquer la possibilité d'accueillir dans quelques années entre quatre cent mille et cinq cent mille passagers. Faudra-t-il alors construire un nouvel aéroport et trouver près de dix millions d'euros, ou se contenter de rénover celui-là, pour environ deux millions d'euros ?

La seule évocation de ces sommes irrite au plus haut point les opposants à cette spirale infernale qui mettent aussi en cause le principe des « subventions » aux compagnies. Au nom de la chambre de commerce, Jean-Pierre Belves, un des grands artisans de l'opération, met en avant les bénéfices induits par l'arrivée massive des Britanniques. Pour eux, l'aéroport n'est-il pas souvent le départ d'une autre aventure, celle de leur installation en Périgord. À peine arrivés, ils ont ainsi le regard attiré par une publicité : *« the key to your home in France »* (la clef de votre foyer en France).

En 1989, Janice et Dean Moody vendent tout ce qu'ils possèdent en Angleterre pour faire le tour du monde en bateau. Deux ans plus tard, ils achètent une maison à Sarlat, partageant leur temps entre le Périgord et le grand large. Deux filles leur sont nées, ils ont vendu leur voilier et sont restés dans la région. « C'est formidable », disent-ils en parlant du « taxi » ou du « bus », comme ils appellent le *low cost*. La mère de Dean, qui habite à Southampton, aimerait tant réunir toute sa famille pour son anniversaire, fin janvier ? Qu'à cela ne tienne : Dean, Janice, et leurs deux enfants, ont réservé quatre billets à destination de Southampton. « Pour quatre cents euros au total, trois heures porte à porte, tout le monde est content. » « Nous tenons à ce que les enfants prennent le "bus" au moins quatre fois par an pour aller en Angleterre, afin de ne pas rompre tout lien avec la culture anglaise », ajoutent des amis du couple.

La plus enthousiaste reste toutefois Bernadette Biato, la propriétaire du Bataclan, bar de l'aéroport. Ah, elle les aime, « ses » Anglais, Bernadette. Rien ne prédisposait pourtant cette « pied-noir » volubile, la jeune cinquantaine, piercing au sourcil et Marlboro light à la bouche, à se montrer la plus fidèle alliée de l'ennemi héréditaire. Si, en 1999, Bernadette achète cet établissement, c'est avant tout pour utiliser une grande salle attenante où cette passionnée de music-hall fait répéter des spectacles à sa petite troupe, la Cosmopolitan Company. Une fois par mois, elle organise des soirées-spectacles qui marchent fort. À côté, le café vivote. «Il nous est arrivé certains jours de ne pas avoir un seul client et le chiffre d'affaires quotidien dépassait rarement cinq cents francs», explique-t-elle.

Arrive donc le 23 mars 2002. Et «cent pour cent de velours», comme le ferait dire Audiard à ses tontons flingueurs. «Jamais, je n'aurais rêvé ça», reconnaît Bernadette qui a créé à côté du bar un restaurant de cent quarante places.

Et puis, quelle clientèle ! «En or.» «D'abord, ces Anglais font preuve d'une patience à toute épreuve. Notamment, si un avion est en retard. Avec des Français, on aurait des émeutes !» Et de fait, malgré l'afflux de passagers, un air de nonchalance plane toujours sur l'aéroport de Bergerac. «L'été, raconte Bernadette, "ils" prennent des chaises à l'intérieur et les mettent dehors. Là, les femmes en décolleté attendent, contentes de profiter des derniers moments de soleil. »

Mais, le plus surprenant, c'est l'habitude des clients anglais de commander eux-mêmes leurs consommations, de les mettre sur un petit plateau qu'ils transportent jusqu'à leurs tables. «Et ils rapportent le tout. Pour un peu, ils feraient la vaisselle ! » Ce qu'ils boivent ? «Du café au lait et encore du café au lait, seul ou avec une omelette aux cèpes ; nous en servons au moins trois cents par jour. » Viennent ensuite le vin, blanc surtout, et la bière. Et puis des drôles de boissons comme les *«panatchi»*. «Je ne comprenais pas ce que ce client me demandait, je pensais à un Bacardi, ou à un Martini, ou à une boisson que je ne connaissais pas. » En réalité, il s'agissait d'un simple panaché. Même stupéfaction de Bernadette lorsqu'un client demande « un tuyau ». Il veut dire une paille...

« Il vaut mieux qu'ils parlent anglais », ajoute Bernadette, qui sert aussi d'office de tourisme, de garde-valises ou de messagère. Et les Français dans tout cela ? « Quand ils arrivent, on ne les reconnaît pas tout de suite, mais très vite je comprends qu'ils ne sont pas anglais : ils s'énervent parce que je ne viens pas prendre les commandes à leur table », explique une des serveuses du Bataclan, qui regrette un peu les premiers temps où la clientèle anglaise, moins au courant des taux de change, lui donnait parfois des pourboires plus que confortables.

Il est tard. Bernadette va jeter un dernier coup d'œil aux répétitions du nouveau spectacle de la Cosmopolitan Company : « Laissez les lumières du music-hall vous éblouir. »

Elle conclut : « Pour nous, les Anglais, c'est le Pérou, je les bénis. »

Une bénédiction aussi pour Leah Coshall. Cette Anglaise blonde et souriante de vingt-sept ans est arrivée dans le Bergeracois à treize ans. « Je savais dire deux mots : oignons et bananes », se souvient-elle. Ce qui ne l'empêche pas de poursuivre ses études au collège d'Eymet puis au lycée de Naillac. En attendant que les responsables locaux s'entendent pour financer l'aménagement d'un parking digne de ce nom, Leah a eu l'idée de créer un parking bis à quelques kilomètres des pistes. Elle y conduit les voitures laissées par les passagers pour

les rapporter le jour de leur retour. Et procéder éventuellement à quelques réglages, vidanges ou nettoyage.

Impossible pour les voyageurs de ne pas voir son
bureau : elle l'a installé dans un magnifique bus rouge à
deux étages, venu tout droit du Pays de Galles. Sans
doute pour faire couleur locale.

Qui a dit que les Anglais ne s'adaptaient pas à leurs
nouvelles colonies ?

CHAPITRE 2

Sept cents ans, déjà

Et si les centaines de milliers d'Anglais débarquant sur l'aéroport de Bergerac étaient les descendants de ces envahisseurs qui, sept cents ans plus tôt, faisaient main basse sur l'Aquitaine ? L'histoire serait belle et viendrait fort à propos confirmer le caractère héréditaire de notre ressentiment à l'égard de nos meilleurs ennemis. Et leur demander une repentance en bonne et due forme, sans le moindre article mettant en exergue les aspects positifs de leur présence. Voire exiger une journée nationale dédiée aux victimes des Plantagenêts.

Malheureusement, la réalité est tout autre. Des historiens en témoignent. Yan Laborie par exemple. Hormis le fait d'être dérangé par le téléphone alors qu'il regarde un match de rugby, cet assistant de conservation du patrimoine au musée de Bergerac, âgé de quarante-neuf ans, déteste les idées reçues et semble prendre un malin plaisir à tordre le cou à certaines légendes. Dont celle d'une « colonisation » de l'Aquitaine par les Anglais durant la guerre de Cent Ans.

« Aucun phénomène de colonisation culturelle n'a pu être relevé. À cette époque, précise-t-il, l'Angleterre et surtout la France n'existaient pas en tant que telles. À la cour d'Angleterre, on parlait le français ; les Périgourdins, entre eux, communiquaient en occitan et utilisaient le latin quand ils s'adressaient au roi de France. Alors... »

Yan – « Jean, en gascon » – Laborie se moque aussi gentiment des « mauvais auteurs » qui croient discerner dans le nombre important de rues ou de restaurants portant le nom de « St James » la preuve de cette lointaine influence britannique sur la région : « James, c'est tout simplement Jean en occitan. » Pauvres gargotiers qui ont voulu donner une touche « anglo-saxonne » à leur établissement !

Considéré comme un des meilleurs spécialistes de l'histoire de l'Aquitaine, Yves Renouard, ancien doyen de la faculté des lettres de Bordeaux, se montre aussi catégorique : « Il ne faut pas croire que l'Aquitaine fut en quelque façon colonisée par les Anglais ; en temps normal, les hommes d'armes et les marchands anglais qui y résidaient n'excédaient pas quelques centaines. [1] »

Reste que du 19 décembre 1154, jour où Henri Plantagenêt, l'époux d'Aliénor d'Aquitaine, monte sur le trône d'Angleterre, au 11 juillet 1453, date de la bataille de Castillon et du départ définitif des soldats anglais,

---

1. *Histoire médiévale d'Aquitaine*, tome 1, Éditions Pyré Monde, 2005.

l'Aquitaine fut soumise, même de loin, au roi d'Angleterre, par ailleurs duc d'Aquitaine. Un bail qui ne pouvait rester sans conséquences.

Yves Renouard a fait le point sur ces trois siècles et notamment sur « ce que l'Angleterre doit à l'Aquitaine ».

Première réponse de l'historien : les Anglais « nous » doivent d'abord le vin. « Ce sont de véritables flottes qui emportaient, à Londres, à Hull, à Bristol et dans les principaux ports anglais de la Manche, nos vins de Bordeaux pendant toute la période de l'Union », écrit-il, avant de laisser entendre que ces bordeaux remplaçaient avantageusement les vins produits par les treilles anglaises « qu'au dire de Pierre de Blois, il fallait boire "les yeux fermés et les dents serrées". »

Autre apport : la monnaie d'or, introduite en Angleterre via l'Aquitaine. Même si l'ancien doyen tord lui aussi le cou à la légende, selon laquelle la guinée, l'ancienne monnaie anglaise, tient son nom « des pièces d'or venues d'Aquitaine, nommées quienne, guyennois, gyonées, guiane selon les textes ».

Les Anglais ont aussi emprunté à l'Aquitaine l'usage du papier de coton, moins cher mais moins solide que le parchemin. Du papier réservé dans les premiers temps à l'Administration. Une première rencontre avec ce que les Britanniques, sept cents ans après, n'ont toujours pas assimilé : la gloire de l'Administration française et son goût immodéré du papier.

Conclusion d'Yves Renouard : « Son union avec l'Aquitaine l'a maintenue [l'Angleterre] intégrée dans l'Europe, la faisant participer aux vicissitudes politiques comme à toutes les formes de la civilisation du continent ; elle lui a montré les chemins de la grandeur maritime ;

elle lui a somme toute révélé les lignes directrices de la politique qu'elle a suivie avec tant d'éclat dans la période moderne. » « Civilisation », « grandeur maritime », « éclat ». Quand même !

Aujourd'hui, les Anglais vivant dans le Périgord n'ont pas oublié le passé. « J'espère que ce n'est qu'une plaisanterie, mais beaucoup de mes amis britanniques y font souvent allusion et ne cessent de répéter, entre eux bien entendu : "il ne faut pas oublier que l'Aquitaine nous appartenait" », confie une Anglaise de Bergerac.

Avant de raconter sa vie, passionnante (nous y reviendrons), avant de nous présenter ses trente chiens, Dany Harris, cette vieille dame si digne, arrivée dans le Périgord en février 1974, tient à emmener le visiteur de passage sur un petit monticule qui domine les alentours. « Ce n'est pas pour rien, explique-t-elle, qu'on appelle cet endroit le Village des Batailles, on s'y est beaucoup battu durant la guerre de Cent Ans. Ici, précisément, les Anglais avaient établi leur état-major. Ils pouvaient ainsi surveiller tout ce qui se passait. En bas : les troupes françaises. Les Anglais pouvaient les voir en train de manger leur soupe et leur pâté. Ils les attaquaient d'ailleurs toujours après le repas, quand ils les "sentaient" plus lourds. » Saine philosophie : tant qu'à se faire éventrer autant que ce soit la panse pleine ! Et, sept siècles plus tard, les Anglais n'ont toujours pas compris pourquoi les Français « perdent » tant de temps pour déjeuner.

Ancien propriétaire du château de Berbiguières, Christian de Roton, raconte aussi l'histoire de cette place forte anglaise, « libérée » en 1442 par Jean de Bretagne, comte de Périgord. Avec humour, il explique ce « clin d'œil de l'histoire » qu'est le retour des Anglais dans le

Périgord. « Il y a sans doute un effet de l'éthylisme, puis-qu'en plus du vin, il ne faut pas oublier que le gin est produit au départ par des baies de genièvre de la région. À cela s'ajoute le fait que de nombreux protestants ont quitté la région après la révocation de l'édit de Nantes. Ces émigrés ont toujours voulu irriguer leurs liens avec l'Aquitaine. »

Autre clin d'œil de l'histoire, qui n'en est jamais avare : le nouveau propriétaire du château, Jonathan Sumption, est un avocat d'affaires anglais, passionné par le Moyen Âge. À l'image de Tony Blair qui honora, pendant plusieurs étés, le Sud-Ouest de son auguste présence, il passe environ un mois par an dans cette demeure qu'il a entièrement restaurée. Refusant toute construction alentour susceptible d'abîmer son paysage, il n'hésite pas à faire circuler de très démocratiques pétitions, pratique qui commence à irriter certains édiles locaux. Même s'il « donne » un opéra tous les deux ou trois ans, dont une soirée réservée aux habitants du village, ceux-ci iro-nisent : « Il se prend un peu pour le seigneur, il a acheté le château, pas le village ! »

Vue « du côté français » la présence anglaise dans la région a aussi laissé des traces. « On ne peut penser ici les activités fondatrices sans faire référence aux Anglais », confirme Yan Laborie. Un exemple entre mille : la re-création, en septembre 1954, par le Conseil interpro-fessionnel des vins de Bergerac d'un « consulat de la vinée », dont la naissance remonte à septembre 1254. « Privilège » accordé par le roi d'Angleterre à l'Aquitaine, ce consulat jouait un rôle important notamment en fixant la date du ban des vendanges.

Aujourd'hui, il a une fonction essentiellement folklorique. Chaque année, revêtus de leur tenue de cérémonie, « longue robe de laine lie-de-vin, avec mantelet, poignets et parements de satin jaune à broderie d'or, chaperon pourpre et or, grand collier à médaillon », le grand maître et les vingt-quatre « consuls-mestres » intronisent des personnalités ayant prêté serment aux vins de Bergerac. Parmi les intronisés célèbres : Jules Romains, Jean-Pierre Chevènement, ou encore l'animateur de télévision, Alexandre Delpérier.

Bon sang ne saurait mentir : celui-ci n'est autre que le petit-fils d'André Delpérier, négociant en vins et membre du consulat, qui eut l'insigne honneur de représenter le maire de Bergerac à Londres pour les cérémonies d'anniversaire du duché de Lancaster. À cette occasion, Élisabeth II reçut dans la galerie St John's le ban et l'arrière-ban de tous les anciens affidés du duché, dont la ville de Bergerac. Delpérier, pour l'occasion, avait cru bon d'arborer, en guise de décoration, la distinction du consulat, un énorme collier en bronze doré, portant en effigie le sceau d'Hélie Rudel, seigneur de Bergerac, et représentant la patte d'un griffon.

Comme il se doit, la reine passe en revue les centaines de personnes présentes. Surprise, elle s'arrête plusieurs secondes devant le Bergeracois et poursuit son chemin. Les présentations tout juste terminées, Élisabeth, férue d'héraldique, demande à son aide de camp de s'enquérir auprès de Delpérier : quelle est donc la signification de cette décoration jamais vue auparavant ?

Notre représentant du consulat de la vinée n'était peut-être pas au bout de ses surprises. Si, après la cérémonie, il était allé dîner chez *Rule's*, un restaurant chic de

34

Covent Garden, il aurait pu constater, en consultant la carte des vins, que les bordeaux ou les bergeracs étaient répertoriés dans la partie intitulée «vins des anciennes colonies».

Nous prendrons cela comme un hommage.

CHAPITRE 3

Le blues des anciens

Et puis les Anglais partirent. Ce qui n'empêcha pas la France et l'Angleterre de continuer à guerroyer ou à s'allier, selon leurs humeurs respectives.

Et puis, les Anglais revinrent, quelques centaines d'années plus tard.

À la fin du XIXᵉ siècle, ils s'installent aux marges de la région. Pau devient alors le rendez-vous de l'aristocratie britannique. En 1863, sur vingt-cinq mille habitants, plus de huit mille sont des « hivernants » étrangers, dont une grande partie d'Anglais. Les « lords » habitent des villas Tudor, construites spécialement pour eux. La ville a ses médecins venus d'outre-Manche, on joue un jeu d'enfer au casino du cercle anglais, on chasse le renard et on pratique le golf et le polo. Pour la première fois, un club de cricket est créé en France.

Il faut attendre le XXe siècle et le début des années 60 pour voir des Anglais commencer à s'installer en nombre significatif dans le Périgord. Profil type, et un peu caricatural, de ces premiers immigrants : le colonel de l'armée des Indes en retraite, l'ancien ambassadeur à Lagos, l'homme d'affaires ayant fait fortune à Karachi ou l'agent des services secrets de Sa Majesté à Hong Kong. Bref, des gens aisés, ayant sillonné le monde et peu enthousiastes à l'idée de se retrouver à l'étroit dans une Angleterre de moins en moins impériale et de moins en moins rurale.

« Quand j'étais petite, raconte Gisèle, une habitante de Bergerac, nous passions nos vacances à Cunèges, un petit village à une vingtaine de kilomètres de là. Avec mes frères, nous étions terriblement impressionnés par notre voisin anglais, un ancien de la Royal Navy, qui hissait le drapeau anglais pour tous les événements marquants de l'histoire de la Grande-Bretagne. »

Beaucoup se souviennent aussi des nombreux officiers anglais venus durant la guerre prêter main-forte à la Résistance locale. « Cela, monsieur, on ne l'oublie pas », témoigne un ancien membre des maquis.

Que souhaitent ces immigrés d'un nouveau type ? D'abord vivre à la campagne. Si le Premier ministre Stanley Baldwin déclarait pompeusement en 1920 : « Rien n'est plus anglais que la campagne, rien n'est plus campagnard que l'Angleterre », la réalité est bien différente depuis la destruction, entamée dès le XVIe siècle, de l'agriculture anglaise traditionnelle, sacrifiée sur l'autel de l'industrialisation.

En Angleterre, un des pays qui compte le plus de citadins au monde, la campagne est désormais peuplée d'urbains plus que de ruraux. La campagne, expliquent Jacques Barou et Patrick Prado, chargés de recherche au CNRS [1], devient alors un état d'âme, un antistress, plus qu'une réalité.

Ces Anglais établis en France sont difficiles : ils veulent une campagne ni trop peuplée, pour ne pas avoir à subir des voisins empiétant sur leur *privacy*, ni trop déserte, pour recevoir régulièrement, « entre soi », quelques-uns de leurs amis, pardon de leurs égaux, ayant fait le même choix de vie.

Les villages ne doivent pas, non plus, être trop éloignés de leur demeure. Quel plaisir de frayer, le temps d'une promenade, avec des autochtones regardés comme autant d'objets d'étude ethnologique. « Irresponsables mais tout à fait adorables », écrivait lady Winifred Fortescue à propos des Provençaux [2].

Il faut se méfier aussi des « gentilshommes » locaux, considérés comme les descendants de seigneurs débauchés. Une histoire a fait le tour de la région. Dans les années 50, une étudiante anglaise, venue comme jeune fille au pair chez un aristocrate périgourdin, a attendu, la première nuit après son arrivée, couchée sur son lit, la visite du maître des lieux. « Elle croyait vraiment, mais vraiment, que le droit de cuissage existait toujours en France », raconte ce dernier en riant.

Impératif aussi pour l'expatrié anglais : une région ensoleillée, mais point trop, loin des touffeurs de la Côte

---

1. Jacques Barou, Patrick Prado, *Les Anglais dans nos campagnes*, L'Harmattan, 1995.
2. Cité par Marcel Berlins dans *The Independant on Sunday*.

d'Azur. Verte, aussi, avec juste ce qu'il faut de forêts pour que les petits enfants puissent se prendre pour Robin des bois ou les chevaliers de la Table ronde. « Il n'est pas donné à chaque Anglais de vivre dans un château, écrit Jeremy Paxman[3], mais tous rêvent de douves et de ponts-levis. » Pourquoi, alors, ne pas dénicher, pour un peu d'argent, sinon un « vrai » château, une gentilhommière, un manoir, un castel, avec cheminée et illusion de donjons ?

« C'est la nostalgie qui frappe toutes les sociétés industrielles, confirme Théodore Zeldin, l'un des meilleurs connaisseurs britanniques de la France, la nostalgie du temps où le pays ne comptait que trois millions d'habitants. Ils cherchent un environnement pastoral qui a disparu depuis les années 1830, sous l'avènement de la reine Victoria. Les Britanniques conservent le souvenir collectif qu'à la fin de son règne, au début du siècle, l'été était perpétuel et les Britanniques vivaient dans la richesse[4]. »

Ces « gens-là » peuvent bien nous dire qu'ils adorent la France, qu'ils y vivent et veulent y mourir, ne nous leurrons pas : c'est en Angleterre qu'ils sont. Une Angleterre mythique, certes, une Angleterre rêvée, dont l'image sépia les a souvent accompagnés autour du monde, mais en Angleterre quand même.

Quoi de plus normal que les anciens coloniaux aient, comme le constatent Jacques Barou et Patrick Prado, « effectivement produit un certain nombre de signes

---

3. Jeremy Paxman, *Les Anglais, Portrait d'un peuple*, Éditions Saint-Simon, 2003.

4. *L'Humanité-Dimanche*, 2-3 juillet 2005.

évoquant le mode de vie colonial : regroupement dans le même hameau, création de "clubs" très fermés, organisation de manifestations réservées aux seuls résidents britanniques ».

Si le portrait de l'envahisseur est souvent caricatural, plus proche de réminiscences littéraires que de la réalité, il n'est pas pour autant éloigné de la vérité. Philippe, un Belge à la cinquantaine dynamique, propriétaire d'un magnifique château dans le Périgord, se souvient : « J'étais invité pour les quatre-vingt-dix ans de ma voisine, Jane, une charmante Anglaise qui habite la Dordogne depuis plus de quarante ans. Elle prononce aisément six mots de français : "manger", "boire", "sieste", "merde", "grève", "con". Je connais bien le restaurant où a lieu la réception. Donc, pas de problème. J'y suis comme chez moi. Je gare ma voiture. J'entre. Et soudain, je suis saisi de l'étrange impression d'être ailleurs. Comme si je m'étais trompé d'endroit. C'est quoi au juste ce soir : une invitation ? un vernissage ? une exposition ? Bon, je dois me reprendre, faire le point. Une chose est sûre, je suis loin, mais très loin de France. Autre certitude, je suis dans un autre siècle. Aux Indes, à la fin du XIXe siècle ? Les hommes sont raides, tous en habits de soirée, les femmes rondes, toutes en robes longues. Mais où peut-on encore trouver un vert aussi vert que sur les robes des ladies ? Vert amande, vert épinard, vert pistache, vert olive, vert absinthe. Et ce rose ! Avoir du mauvais goût à ce point tient de l'exploit artistique. Un regard circulaire me fait vite comprendre que je suis le seul Français, enfin le seul Belge, enfin le seul « non-Anglais ». On me présente à un ambassadeur, un général, un banquier. Mousse, cake : le repas sera aussi très *british*. De quoi a-t-on parlé ?

41

Impossible de me souvenir. Du temps peut-être. Du temps, sûrement. Je me souviens aussi que nous avons dansé. Des danses raides, des valses de salon. Je n'ai pas entendu un éclat de rire de la soirée mais une légère étoile brillant dans les yeux des femmes et un léger, mais très léger, sourire pointant subrepticement aux commissures des lèvres des hommes m'ont fait comprendre que tout le monde s'était follement amusé. Moi aussi. Ce n'est pas tous les jours qu'on voyage aussi loin dans le temps et dans l'espace. »

On se demande quel effet produirait Dany Harris si elle faisait irruption avec ses trente chiens dans une telle assemblée.

L'histoire périgourdine de cette petite dame, pimpante dans son pull rouge, commence en 1974. Non, plutôt en 1962, quand elle rencontre John, son futur mari. Elle raconte, dans un français parfait : « C'était à Portsmouth. Je travaillais dans un salon d'exposition, au stand des meubles. À côté, il y avait le stand de la Marine royale. Tous les jours, un beau marin passait devant moi. Jusqu'au moment où il m'a demandé si je voulais prendre un café avec lui. J'ai dit oui. Nous nous sommes revus et je l'ai épousé trois ans plus tard. »

Pendant douze ans, Dany va vivre la vie d'une femme de marin. « Une amie m'avait dit : si tu épouses un marin, tu dois tout de suite acheter une télévision pour te sentir moins seule. »

En 1973, John, après vingt-huit ans de bons et loyaux services dans la Marine royale, juge qu'il est temps de poser son sac. Sur les conseils de son commandant, il décide, avec Dany, de s'installer dans le Périgord. Là, ils achètent un terrain « rempli de ronces », avec une maison en ruine, près de Bergerac et vogue la galère. Ces deux-là n'ont ni l'argent ni l'envie d'habiter un château.

L'arrivée au village fait sensation : leur vieille Ford tire une immense maison préfabriquée ! Il faudra trois tracteurs pour parvenir à la traîner à travers champs jusqu'à leur terrain. Ils vont rester douze ans dans cette habitation provisoire, le temps de retaper leur ruine. John, devenu Jean entre-temps, travaille dans le bâtiment, Dany fait les vendanges. Ils apprennent le français. « À l'époque, la France me semblait avoir cinquante années de retard sur l'Angleterre. Souvent, il n'y avait pas de branchement d'eau dans les maisons. Mais les gens étaient tellement gentils. Nous étions les premiers Anglais dans le village, il faut voir comme nous étions chouchoutés. Quand j'arrivais pour acheter le pain, j'entendais les gens dire : "Ah, voilà notre petite Anglaise". »

En 1978, Jean est engagé dans une compagnie pétrolière en Iran. Survient la guerre avec l'Irak. « Pendant des mois, je n'ai plus eu de nouvelles. J'ai demandé à la Croix-Rouge et ils m'ont laissé entendre que mon mari était *"missing"*. Présumé mort. Le lendemain du jour de Noël, j'étais dans le jardin avec un de mes chiens quand celui-ci a entendu un sifflet et s'est précipité vers le fond du jardin : c'était John ! Là, j'ai su que je ne m'inquiéterai plus jamais. »

Il en faudrait plus à un ancien marin anglais pour arrêter d'avoir la bougeotte. John-Jean va ensuite travailler dix-huit ans dans le Golfe. C'est pendant une de ses absences que Dany découvre sa nouvelle vocation : « sauveuse de chiens ». « J'ai appelé le premier Jennifer ; c'était un petit cocker, maltraité par un fermier des environs. Un type, sale, méchant. J'ai dû lui acheter son chien cinq cents francs. »

Au total, Dany a sauvé plus de cent vingt chiens. Aujourd'hui, ils sont une trentaine à vivre dans la maison en préfabriqué. Depuis qu'elle est passée à l'émission de télévision *Trente Millions d'amis*, elle reçoit une tonne de croquettes par an pour les nourrir. Tous les vendredis, elle va au Casino d'Eymet récupérer des déchets de viande. « Tout le monde me connaît. Les vendeuses m'embrassent et souvent le boucher me demande de lui servir d'interprète. »

« Soulager les animaux qui ont souffert, cela m'aide à oublier mes malheurs », confie Dany. Il y a trois ans, John-Jean a été victime d'une attaque et, paralysé, ne peut plus parler. « Il comprend tout, vous savez », dit son épouse qui continue à s'adresser à lui comme si de rien n'était. Couché devant la télévision, allumée en permanence, John la fixe d'un regard bleu intense.

Dany n'est pas retournée une seule fois en Angleterre. « Je suis tellement attachée à mes pierres, à ma terre, que je ne peux pas imaginer passer un jour sans être ici. » Elle l'avoue pourtant : des « petites choses » lui manquent. Comme « d'aller boire une tasse de thé à quatre heures avec un petit sandwich ».

L'arrivée en masse des Anglais dans la région ne la réjouit pas vraiment. « L'atmosphère est différente. Moi, je n'arrête pas de leur dire : "mélangez-vous donc avec les Français". »

Vers la fin des années 70, une deuxième vague d'envahisseurs a été en effet repérée dans le Périgord. Ayant eux aussi accompli l'essentiel de leur carrière à l'étranger, mais dans les compagnies multinationales plutôt qu'au service de Sa Gracieuse Majesté, ces jeunes retraités (autour de la cinquantaine) possèdent un haut niveau d'instruction, maîtrisent le français et veulent avoir davantage de contacts avec la population locale que leurs prédécesseurs. À cette époque, près de quatre cent mille Anglais quittent chaque année leur pays, frappé de plein fouet par la crise économique et l'on commence à voir des immigrants moins à l'aise, venus chercher un emploi.

Selon les observateurs, la troisième vague d'envahisseurs connaît son apogée en 1988. Un répit, le temps sans doute d'endormir l'ennemi, et l'on assiste au début d'une nouvelle déferlante depuis le changement de millénaire. En 2003, près de deux cent mille Britanniques avaient décidé de quitter leur pays. Plus de onze millions d'entre eux vivent aujourd'hui hors de chez eux, contre moins de deux millions de Français.

Judith et David Jupp font le lien entre « ceux d'avant » et « ceux d'aujourd'hui » puisqu'ils se sont installés deux fois dans le Périgord, à treize ans d'intervalle. Émouvant de les entendre raconter ces allers et retours qui ont marqué leur vie. S'exprimant mieux en français, c'est Judith qui parle. David acquiesce, corrige un détail.

Leur histoire d'amour avec la région commence en 1986. Un jour d'été, après avoir déjeuné près de Beynac, à dix kilomètres de Sarlat, Judith et David passent en flânant devant une agence immobilière. Sans intention précise, poussés par la curiosité, ils regardent les annonces dans la devanture. Le directeur de l'agence sort alors sur le pas de la porte et très gentiment (en anglais, car à l'époque ils ne parlaient pas le français) leur demande s'ils cherchent une maison. Il a un terrain à vendre avec une vieille maison, à Cazenac.

Pourquoi ne pas « aller voir » ? Ils voient et c'est le coup de foudre. « Le soleil, la tranquillité, pas de voisins, mais à dix minutes du village, donc le meilleur des deux mondes. » Ils doivent donner une réponse dans les dix jours. « David a dit oui », raconte Judith.

Un an plus tard, leur maison est fin prête. « Une maison périgourdine, avec un pigeonnier en bois. » En 1990, David fait valoir ses droits à la retraite, ils vendent leur résidence en Angleterre et s'installent à Cazenac. Une de leurs premières décisions : prendre des cours de français au centre culturel de Sarlat.

En 1995, ils doivent faire le chemin inverse. « Mon beau-père, explique Judith, était frappé d'un cancer, ma mère était très, très fragile. Ils avaient besoin de nous à leurs côtés. » Le cœur gros, ils vendent leur maison et retournent en Angleterre.

En 2003, à quelques semaines d'intervalle, leurs parents décèdent. « Que faire ? Nous étions libres et seuls dans notre grande maison. Comme si nous y avions toujours pensé, nous avons décidé de revenir dans le Périgord. »

Retour dans la même agence immobilière que huit ans auparavant. « Nous avons une maison pour vous à Beynac. » En effet, elle était « pour eux ». L'affaire est vite conclue. Ils s'installent. « Nous avons été accueillis par nos amis français comme si nous revenions vraiment chez nous. Ce fut formidable. L'atmosphère n'a pas beaucoup changé ici. C'est l'Angleterre qui a changé, pas la France. Là-bas, il y a de plus en plus de violence. Et puis le pays est déprimé par la guerre en Irak. »

À les entendre, pourtant, on dirait qu'ils ne reconnaissent pas toujours «leur» Périgord. Judith et David sont frappés par le nombre croissant de leurs compatriotes vivant ici. Ils regrettent aussi que beaucoup de ces «nouveaux Anglais», ceux qui sont arrivés dernièrement, ne parlent pas le français.

«Oui, il y a beaucoup d'Anglais», répète Judith de sa voix douce.

Avant d'ajouter, comme surprise de sa propre audace : «Peut-être même qu'il y en a trop.»

CHAPITRE 4

Immobilier : les chasseurs de ruines

Entre Issigeac et Eymet, une « maison » minuscule, au milieu de nulle part. Une seule pièce au rez-de-chaussée, avec des murs décrépis, noircis de fumée, et un sol en terre battue. Un jardin caillouteux. À l'étage, un grenier couvert de gravats, un toit qui s'écroule. Sur la porte vermoulue, une pancarte : « À vendre ». Et un numéro de téléphone.

Quel prix pour cette cabane ? Les paris sont lancés. Les plus optimistes parlent de cinquante mille euros, les plus lucides de quatre-vingt mille. « En ce moment, c'est la folie ! »

La curiosité est trop grande. Il suffit de téléphoner. Combien ? La réponse stupéfie même les spécialistes : cent vingt mille euros. Grand seigneur, le propriétaire accepte de « descendre » jusqu'à cent dix-sept mille euros.

« Cent vingt mille euros ! » La stupéfaction générale se transforme vite en tribunal populaire. Avec un seul coupable : l'Anglais ! l'Anglais « qui achète, à des prix transcendants, tout ce qu'il trouve sur son passage ». L'Anglais « qui a fait gonfler la bulle immobilière ». L'Anglais « qui a asséché le marché ».

Sans doute. Mais, il n'est pas seul, l'Anglais ! Ainsi, le vendeur de la cabane du bout du monde, à en croire son accent et son nom, n'avait rien d'un sujet de Sa Gracieuse Majesté ! « Les "Anglais" ont incontestablement accentué l'envol de certains prix, achetant parfois des biens à des sommes non raisonnables, note D. Dauta, expert près la cour d'appel de Bordeaux [1], mais ils ont également déserté le Sarladais où les autochtones ont réclamé des prix de vente démesurés, les mêmes qui aujourd'hui crient au loup et à l'invasion. » Un jeune Bergeracois ironise : « Nous, les Périgourdins, nous râlons contre les Anglais jusqu'au moment où nous voulons leur vendre une maison. Dès que nous touchons notre chèque, nous les aimons bien. »

Conclusion optimiste aussi pour Alain Beaunes, maire de Saint-Julien-de-Crempse, un village de cent quatre-vingts habitants à une quinzaine de kilomètres de Bergerac. Six familles anglophones y passent leurs vacances. « Ils ont acheté des vieilles maisons. Ils ont remis des pierres, refait les toitures. Ces maisons, elles ne vont pas partir en Angleterre. Le patrimoine, il reste chez nous. Pour toujours. Alors pourquoi se plaindre ? »

---

1. *Tout sur le désenclavement aérien, réponse aux questions*, Brochure réalisée par « Ouvrir le Périgord ».

Jean-Marc, un Périgourdin d'une trentaine d'années, exilé à Paris, raconte que lorsqu'il revient « chez lui », près de Périgueux, la conversation tourne souvent autour de la présence des Anglais et le point de vue change suivant les générations. « Ma grand-mère, d'abord. Elle dit qu'elle n'aime pas "les Anglais", cette dénomination englobant pour elle tous les étrangers, des Belges aux Espagnols, en passant par les Parisiens. Elle ne cesse de nous dire : "avant, quand j'allais au marché acheter mon foie frais, on parlait le patois. Puis, ce fut le français. Maintenant, c'est l'anglais !" Sa fille, ma tante, a cinquante-cinq ans. Pour elle "heureusement que les Anglais sont là, sinon, on vivrait au milieu de ruines. Ils ont fait revivre des villages entiers et donné du boulot aux commerçants." Quant à moi, je suis partagé. Dans mes souvenirs revient toujours un château superbe, qui dominait la région. Il tombait en ruine. Maintenant, il a été retapé par des Anglais. C'est vrai aussi que les Anglais font tout pour participer à la protection tant du patrimoine que des coutumes locales. Mais quelle serait votre réaction si aux Highlands Games, ces Jeux olympiques des sports écossais, comme le lancer de troncs d'arbres, on entendait davantage parler français qu'anglais ? Cela ferait quand même drôle, non ? »

Reste que l'Anglais, même si c'est pour la bonne cause, a beaucoup acheté. En France, en général, et dans le Périgord en particulier. Pour la seule année 2004, les Britanniques ont dépensé cinq milliards d'euros, signé plus de trente mille actes de vente, soit 41 % de tous les achats étrangers dans l'Hexagone. Deux fois plus qu'en 2000 !

Pourquoi cette fièvre ? Le diagnostic se fonde d'abord sur deux chiffres : trois cent quatre-vingt-deux habitants au kilomètre carré en Angleterre contre quatre-vingt-seize en France. Quatre fois plus. L'Anglais, s'il veut respirer, doit s'expatrier. Les économies des deux pays ont aussi divergé. Après la cure drastique et impitoyable des années Thatcher, l'Angleterre s'est emballée. Ainsi, les salaires y ont augmenté de 40 % entre 1998 et 2002 contre 8 % pour l'ensemble de la zone euro. Dissimilitude aussi dans l'évolution de l'immobilier.

En France, les prix des appartements sont longtemps restés nettement inférieurs à ceux des autres pays européens. Si, depuis quelques années, ils ont fortement augmenté, la hausse a été bien moins importante qu'outre-Manche : plus 12 % en 2003 et 2004 contre 22 % en Angleterre. Résultat : en vendant son trois pièces à Londres, le citoyen britannique peut s'acheter sa gentilhommière dans le Périgord ou, s'il a des goûts plus modestes, une maison très correcte et vivre de ses rentes pendant quelques années.

« Les Français regardent souvent les Anglais comme des nouveaux riches parce qu'ils achètent de grandes et belles maisons, explique Janice Moody, et c'est souvent faux. Nous, nous ne comprenons pas pourquoi des jeunes Français louent au lieu d'acheter. Comment pourront-ils avancer dans la vie ? C'est normal pour eux d'emprunter, même beaucoup, d'utiliser les banques pour avancer financièrement. »

Mick Jagger n'a sans doute pas eu besoin d'emprunter pour trouver la tranquillité. En 1980, il achète pour 2,2 millions de francs, le château de Fourchette, à Pocé-sur-Cisse, un petit village de Touraine. Il investit ensuite trois millions d'euros pour faire aménager à ses goûts cette demeure du XVIIIᵉ siècle. « Une sorte d'entente tacite, écrit Frédéric Potet dans *Le Monde*, s'est installée entre le châtelain *british* et les *Frenchies* du cru. Comme dit un voisin proche : "les gens d'ici sont assez fiers de protéger sa tranquillité. Quand des personnes extérieures au village me demandent où est le château, il m'arrive de les envoyer dans la direction opposée." » On raconte aussi que lors d'un repas dans un château des environs, son voisin de table aurait demandé au chanteur : « Et vous, jeune homme, que faites-vous dans la vie ? » Le créateur de *Satisfaction* aurait été ravi de cette question, lui qui vit justement en France pour se protéger des indiscrets.

Sir Mick, anobli par la Reine en 2002, n'a pas oublié le temps où enfant, et alors qu'il s'appelait encore Michael Philipp, il passait ses vacances en France avec ses parents, dormait sous la tente et visitait les châteaux de la Loire. Aujourd'hui, pour empêcher la construction d'un terrain de camping trop près de chez lui, il n'hésite pas à racheter le terrain situé en face de son domaine. Les habitants du village ne lui en veulent pas. À lui seul, « Mick de Fourchette » comme il aime à se présenter, fait tourner une bonne partie de l'économie locale.

Les Anglais qui veulent acheter une propriété en France n'ont certes pas les facilités dont a pu bénéficier le chanteur des « Pierres qui roulent ». Ils ont malgré tout trouvé, des deux côtés de la Manche, une assistance aussi efficace qu'intéressée.

Les banques d'abord. En Angleterre, elles les ont aidés à vendre. En France, à acheter. Les agents immobiliers se sont aussi jetés avec avidité sur cette pépite. « Quatre-vingts pour cent de mes clients sont étrangers, dont 90 % de Britanniques. Le mois dernier, j'ai eu à traiter avec des personnes de dix-sept pays », explique Jérôme de Chabaneix, responsable d'une agence immobilière à Lalinde. Enfant du pays et parfaitement bilingue, deux avantages certains, il réalise un tiers de ses affaires grâce au carnet d'adresses de sa mère, anglaise de naissance, installée dans le Périgord depuis 1970 et qui a aussi travaillé dans l'immobilier. Le deuxième tiers de sa clientèle, Jérôme la doit tout simplement à sa vitrine, bien située sur la place principale de la petite ville. Pour le troisième tiers, il fait appel à des agents immobiliers anglais avec lesquels il correspond régulièrement.

L'agence immobilière est ainsi devenue la tête de pont de l'envahisseur. Pas un village, même le plus reculé, qui n'en abrite une, voire deux ou trois. « En 1996, ce village, c'était une vraie ruine, raconte Monique Kermarrec, maire de Berbiguières, les maisons étaient délabrées, le château [celui qui sera racheté par un amateur d'histoire et d'opéra] dans une situation très précaire. Une agence immobilière, tenue par des Anglais, s'est installée. Du jour au lendemain tout a changé. D'autres Anglais ont acheté des maisons, les ont retapées et petit à petit le village s'est rénové. »

Combien sont-ils à prospecter le moindre centimètre carré de l'Hexagone pour dénicher la « maison de caractère » susceptible de plaire à une clientèle anglaise ? Ces « chasseurs de ruines » utilisent de plus en plus les journaux locaux pour lancer leurs « avis de recherche ». Un exemple, parmi mille autres, piqué dans une petite feuille locale : « Vous songez à vendre votre maison ? Le moment

est propice et le marché se porte bien. Guyenne immobilier recherche des maisons à vendre pour sa clientèle
internationale. Ses nouveaux agents immobiliers britanniques basés près de Monségur sont entièrement à votre
disposition. »

Une fois dénichés la maison ou l'appartement et
convaincu son propriétaire de vendre, ce sera un jeu
d'enfant de débusquer en Angleterre l'acheteur idéal.
Comment celui-ci aurait-il pu échapper aux annonces
dans les journaux sur le thème : « En achetant une propriété en France vous n'achetez pas une maison mais un
style de vie » ? Sans parler des programmes de télévision
ou de radio consacrés uniquement à cette vie de rêve.

Pas de problème non plus pour trouver l'homme de loi
idoine qui vous expliquera les différences entre les deux
systèmes. Principal avertissement donné aux éventuels
acheteurs britanniques : bien faire attention à cette notion
toute française de « vices apparents et vices cachés » qui
n'oblige pas le propriétaire à signaler les défauts que le
futur acheteur pourrait découvrir par lui-même.

Les Britanniques aiment aussi faire procéder par un
organisme compétent à une *survey* (expertise) de leur
future acquisition. « Nous voulions acheter une vieille
maison près de Sarlat, se souvient Janice Moody, quand
nous avons dit au propriétaire que nous aimerions la faire
expertiser, il est parti d'un grand éclat de rire : "cette
maison, elle date de 1780, ce n'est pas maintenant qu'elle
va s'écrouler !" »

Certains regrettent de ne pas avoir été plus attentifs.
Ainsi, ces anciens Londoniens qui, aux premiers froids,
se sont aperçus avec affolement, que leur maison, achetée
en juin, n'était pas chauffée. Il y avait certes des radiateurs,

flambant neufs, avec thermostats et tout le tintouin. Problème, ils n'étaient reliés à rien.

Si le Périgord plaît aussi aux Anglais c'est parce qu'ils ont pu y trouver de nombreux châteaux, des vrais, avec donjons et cours fermées. La fièvre destructrice des révolutionnaires de 1789 ayant été moins violente qu'ailleurs, beaucoup de nobles demeures ont été épargnées. De plus, les prix y étaient très attirants. « De 1991 à 1999, écrit D. Dauta, le Périgord était très en retard, en matière de prix par rapport à des régions équivalentes en matière d'habitat rural et de charmes touristiques : Cévennes, Pays basque, Provence. »

Que du bonheur pour les dénicheurs de bonnes affaires ! Aujourd'hui, pas une conversation dans le Périgord sans qu'une voix ne s'élève, radieuse ou mortifiée, selon que la personne ait ou non acheté au bon moment : « Quand je pense que cette maison, vous voyez, celle qui se trouve à la sortie de..., vous voyez, eh bien, vous savez combien elle a coûté ? » Le temps de faire saliver ses interlocuteurs et le chiffre tombe, insignifiant quand on le compare à ceux pratiqués actuellement. Jusqu'au moment où un autre convive, avec l'air de « quelqu'un à qui on ne la fait pas », pose à son tour la question : « Et cette gentilhommière, à... oui, le petit château habité aujourd'hui par les..., on dit qu'ils l'ont payé à peine... » Nul ne s'attarde toutefois sur les sommes souvent astronomiques dépensées pour « retaper » les habitations en question.

Que voulez-vous qu'il arrivât ? La hausse des prix, cantonnée dans le Sud-Est, a gagné la plupart des régions françaises. Pour atteindre 35 % en Dordogne entre 2000 et 2003, avec des différences importantes selon les « sous-régions ». Les hausses « vertigineuses » n'affectent en réalité qu'un type de bien très précis : les vieilles maisons à la campagne. En ville, l'augmentation de l'habitat courant a été beaucoup plus « raisonnable » : de 30 % à 40 % sur six ou sept ans.

Les Anglais, eux, ne cherchent pas à acheter dans les agglomérations et, jusqu'à ces derniers temps, ils ne lésinaient pas sur les prix. « Pour les affaires de plus de 1,5 million de francs, estime l'expert immobilier Hubert Jardin, il y a 80 % d'étrangers, plus on descend dans la gamme des prix, moins ceux-ci sont nombreux [2]. » Résultat : selon les sondages réalisés par Marie-Martine Gervais-Aguer, 95 % des Anglais résidant en Dordogne sont propriétaires et 94 % vivent à la campagne [3].

À force de ratisser le terrain, celui-ci s'est asséché. Plus rien à vendre. Pas la moindre vieille pierre. Ou à des prix de plus en plus prohibitifs. D'où le « boom » de la construction neuve qui, selon la direction régionale de l'Équipement, a augmenté en 2004 de 29 % pour l'Aquitaine et de 48 % pour la seule Dordogne.

Les Anglais ont dû passer par là. Fini le château, bonjour le lotissement. Désolé, Milord, mais il faudra désormais faire avec le tout-venant. « On voit maintenant des Anglais acheter des terrains pour construire du neuf, ce qu'ils ne faisaient pas avant », observe Alain Lucas, le maire de Vendoire, dans le Périgord vert. Confirmant cette tendance, M. Grugeon, directeur de l'agence St John, note en 2005 l'arrivée dans le Bergeracois d'une clientèle « plus sensible aux prix ». « Les Anglais se rabattent

2. Au cours d'un débat organisé sur le site www.residences-secondaires.com
3. Recherche effectuée pour l'université Montesquieu Bordeaux IV.

sur le neuf », explique-t-il en donnant l'exemple d'un lotissement où les Britanniques se sont portés acquéreurs de trente lots à construire sur trente-cinq déjà vendus. Pour lui, « le fait que les acheteurs soient anglais ne change rien au prix d'un lot ».

Établie depuis longtemps en Dordogne, Jane Hanslip, a réalisé une étude privée sur l'évolution de l'immobilier dans la région. « Le "neuf", écrit-elle avec humour, est bon pour les gens riches en cash, pauvres en temps et qui détestent bricoler. » Conclusion générale de son analyse : « en tout état de cause, l'Anglais reste optimiste dans le domaine de l'immobilier, tant pour l'ancien que pour le neuf ».

L'Anglais est optimiste : peut-être faudrait-il se méfier ?

CHAPITRE 5

Clubs : au pays des Dogs and Dols

L'avertissement a un rien de menaçant : « cette liste est confidentielle et ne doit pas être transmise à des non-membres. Prière de détruire la liste précédente ». Découvert, le larron qui aurait gentiment subtilisé un exemplaire du texte sulfureux à un ami complaisant pourrait craindre les pires châtiments. Serions-nous dans *Mission impossible* ?

Mais qui sont ces soixante-dix-huit privilégiés, destinataires exclusifs de ce document « ultraconfidentiel » ? Les honorables correspondants des Services britanniques opérant en France ? Les membres d'une secte sataniste ? Les résidents anglais dénoncés aux Contributions pour ne pas avoir acquitté leurs devoirs fiscaux ?

Pire que cela : le dossier comprend, soigneusement alignés, les noms, adresses, numéros de téléphone et, entre parenthèses, le prénom des épouses ou compagnes, des soixante-dix-huit membres du cénacle le plus huppé du Périgord : le Dordogne Gentlemen's Club ou DOGS.

Porté sur les fonts baptismaux en 1987 par des *happy few*, bien décidés à « passer quelques moments agréables » entre personnes de différentes nationalités, ce club reste typiquement, spécifiquement, intrinsèquement et définitivement anglais.

Certes, les Dogs ont été présidés pendant plusieurs années par un Français, Alain Letessier. Cet ancien capitaine au long cours, reconverti dans le commerce, n'a pas gardé de cette présidence un souvenir impérissable. « Certains Anglais m'ont cherché des poux dans la tête. Pour la première fois de ma vie, il y en a même un qui m'a dit que je parlais trop mal l'anglais pour rester président ! » Avec humour, le marin a rendu sa casquette.

La liste des membres comporte, au maximum, deux ou trois Français « de souche », dont le maire de Bergerac, et quelques Belges ou Néerlandais. Mais il est bien vu que ces « supplétifs » soient « au moins » mariés à une Anglaise. En désespoir de cause, on a même eu des « Dogs » américains.

Pour parler de leur club, les « Dogs » affectent un désabusement de bon aloi : « Les Dogs ? Ah oui, j'en suis membre, mais je n'y vais pas souvent. » Comme disait un Immortel : « L'Académie française : en dire du mal, mais en être. »

Les réunions des Dogs sont pourtant plus festives que les séances du Quai Conti. Une fois par mois, les membres se donnent rendez-vous dans un restaurant de bonne tenue, plus rarement au domicile de l'un ou de l'autre. Comment s'habiller ? Les débats, raconte la chronique, ont été longs, byzantins, avant de parvenir au compromis suivant : la cravate n'est plus obligatoire, la veste, si.

Soucieux de montrer qu'ils ne sont pas là uniquement pour picoler, les Dogs, avant de se mettre à table, doivent écouter, pendant une petite demi-heure, l'un des leurs évoquer un sujet sur lequel il est particulièrement compétent et qui le passionne (« qui le passionne, lui, et pas forcément les autres », commente perfidement un Dog). Un haut fonctionnaire à la retraite peut ainsi ouvrir le dossier des OGM, un diplomate percer le mystère des services secrets dans le monde, ou un ancien pilote effrayer l'honorable société en racontant les situations les plus dramatiques qu'il a dû affronter.

Deux fois par an, pour recevoir leurs épouses, les Dogs sortent leurs smokings de la naphtaline et organisent une « vraie » soirée où chacun peut enfin retrouver les charmes d'antan. Des dames qui ne sont pas en reste. N'ont-elles pas créé leur club, les « Dols » (Dordogne Ladies Club International), deux ans avant les « Dogs » ? Elles aussi se retrouvent une ou deux fois par mois autour d'une table. Si les « Dols » sont plus ouvertes que les « Dogs » aux influences étrangères et comptent une forte minorité de non-Britanniques, elles ne dérogent pas à la règle de base : ici, on parle anglais. Même pour la traditionnelle kermesse de Noël dont les recettes vont à des organisations caritatives et qui se déroule aujourd'hui à la maison des syndicats de Bergerac. Des ladies de la bonne société britannique dans le temple de la lutte des classes : Marchais, réveille-toi, ils sont devenus fous.

« Dès qu'ils sont deux, les Anglais créent un club » : fidèles à leur réputation, les Britanniques du Périgord ne se sont pas contentés des seuls « Dogs » et « Dols ». Après tout, comme le rappellent Jacques Barou et Patrick Prado [1], le Touring Club de France ou le Club alpin français, ont bien été fondés avec l'appui d'Anglais résidant en France.

Pour la seule Aquitaine, on trouve aujourd'hui plus de trente « associations » britanniques déclarées officiellement. Fin 1998, Martin Neish a ainsi créé l'Alliance Aquitaine-Écosse dont le siège est à Bordeaux. « Après avoir conquis Paris pour le match d'ouverture de la Coupe du monde entre l'Écosse et le Brésil, les cinq mille supporteurs écossais, en kilt, sont venus à Bordeaux encourager leurs équipes contre la Norvège. Nous avons passé des moments formidables. Les gens d'ici étaient eux aussi tombés sous le charme. Quand ils sont partis, j'ai décidé de monter cette association pour mieux faire connaître l'Écosse », explique ce musicien de quarante-huit ans, arrivé à Bordeaux, « poussé par le vent », en janvier 1981, avant d'y poser définitivement sa valise. « Dès que je dis que je suis écossais, les Français me répondent qu'ils nous aiment beaucoup, sourit-il, mais, quand je leur demande les raisons de cet amour, ils ne savent pas quoi répondre. À part que les Écossais détestent les Anglais et que cela suffit. Se sentiraient-ils envahis ? »

Créée en 1991, la Music And Drama Society, compte aujourd'hui près de deux cent trente membres, les MADS (fous en anglais), des comédiens amateurs qui montent deux pièces par an. Si les étrangers sont acceptés – on trouve même un « Mad » suisse – répétitions

---

1. *Les Anglais dans nos campagnes, op. cit.*

et spectacles se font exclusivement dans la langue de Shakespeare.

Autre association : la branche Sud-Ouest de la Royal Air Force Association, ouverte à tous ceux qui servent ou ont servi dans la RAF, aux pilotes de la France libre et à « tous ceux qui sont intéressés par l'aviation ». Pour ne pas être en reste, les marins se retrouvent dans la Royal Naval Association.

Adjoint au maire de Bergerac, chargé notamment des anciens combattants, Hubert Chazeaux explique que depuis plusieurs années, les Anglais ayant participé à la guerre de 39-45 sont invités aux cérémonies commémoratives. « Ils sont une bonne dizaine à venir avec leurs drapeaux, leurs décorations, leurs cornemuses. Le 8 Mai, ils participent ainsi au banquet annuel. C'est très bien. »

S'il n'a pas d'existence officielle, Cook and Book, le petit groupe qui se réunit régulièrement à Saint-Martin-de-Laval présente deux originalités remarquables. Un : la langue officielle est le français. Deux : ici, on ne triche pas avec les valeurs fondatrices. D'abord « Cook ». À tour de rôle, chacun prépare un repas pour les autres invités. Ensuite, « Book ». Un des participants fait découvrir à ses amis un livre français, qu'il a particulièrement apprécié. Fin juillet, *La Visite*[2], l'excellent roman de Chantal Pelletier était au menu avec comme garniture un confit de canard et un macaron aux fruits.

Quant à Erica Lainé, elle préside aux destinées de l'Aquitaine Historical Society, qui regroupe une petite centaine de membres. Ceux-ci se réunissent environ une

2. *La Visite*, Folio Gallimard, 2004.

fois par mois pour entendre un des leurs plancher, toujours en anglais, sur un sujet relatif à l'histoire de France. De la Renaissance aux routes de Saint-Jacques-de-Compostelle. « Le but est de mieux faire connaître la France à nos membres », explique Erica Lainé.

Ces louables sentiments peuvent être jetés aux orties si l'on ouvre le chapitre du sport. L'heure est grave. Les Anglais ne veulent-ils pas introduire chez nous des « sports » allogènes. Le cricket par exemple. Un certain Simon Hewitt peut bien essayer de nous convaincre, sur le site de Cricket France, que ce sport est joué en France depuis plus de cent vingt-cinq ans et que le mot lui-même vient du vieux français « criquet », nous ne nous laisserons pas emboucaner.

Pas plus que nous ne nous laisserons convaincre par la bonne humeur et le sens de l'humour de Wynford Kicks, un journaliste écrivain de soixante-trois ans, qui mit sur pied en août 1981 le premier club de cricket de la région à Saint-Aulaye. « Je venais en vacances dans ce village depuis 1971, raconte-t-il, et peu à peu j'ai réalisé que tout était parfait ici, sauf une chose : impossible de jouer au cricket. J'ai donc monté une première équipe et nous avons joué contre Bordeaux. »

Le ver était dans le fruit. Aujourd'hui, trois clubs existent en Dordogne – Eymet, Saint-Astier et Saint-Aulaye –, un dans le Lot-et-Garonne – Damazan – et un dans les Landes – Ossau. Sans compter Bordeaux. Se profile même la création d'un club à Angoulême, groupant pour l'essentiel les travailleurs pakistanais d'un restaurant de la ville. Voilà maintenant le Commonwealth qui vient soutenir l'envahisseur anglais. Fachoda n'est pas loin !

Pour mieux nous narguer, ce petit monde s'affronte désormais dans un championnat et une coupe. Le Cricket Club d'Eymet devient même un lieu de visite pour les touristes français qui viennent voir des hommes, en tenue blanche, jusqu'aux chaussettes, s'affronter virilement dans un sport totalement incompréhensible.

Pire : des Français, des Français de France, ont abandonné les crampons du « footeux » ou le cuissard du « cyclo » pour endosser l'habit du « cricketman ». Et parmi ces agents de l'ennemi, on trouve même un ex-enseignant, Yvon Garcia, qui a appris ce jeu avec ses élèves anglais. Un représentant de l'Éducation nationale ! On croirait entendre de Gaulle : « Voici l'État bafoué, la nation défiée, notre puissance ébranlée, notre prestige international abaissé. Et par qui ? Hélas ! Hélas ! Hélas ! Par des hommes dont c'était le devoir, l'honneur, et la raison d'être de servir et d'obéir. »

Grâce au ciel, un sport vient nous sortir de cet océan de turpitudes : le rugby. Prononcez seulement le mot et aussitôt Anglais et Français peuvent enfin s'estourbir à la loyale, sans faux-semblants ni ronds de jambe, sans duplicité ni escobarderie. Toutes classes sociales confondues. Oubliés, les Dogs ou les Mads, les liens entre communautés, le prêchi-prêcha intégrationniste, il n'y a plus que deux peuples face à face pour la conquête d'un ballon ovale. Même Yvon Garcia le reconnaît : « Quand on parle rugby avec les Anglais, c'est passionnel. » « Les Anglais ? Les champions du monde de la fourberie », dénonce ce commerçant de Bergerac, joueur à son heure.

Un autre accuse : « Ils portent le pet. » Porter le pet ? « Oui, ils caftent, ils rapportent, ils dénoncent. » Conclusion d'un sage : « On déteste les Anglais parce qu'ils jouent aussi au rugby, mais on les aime bien quand on les bat. »

Voilà qui nous requinque.

CHAPITRE 6

Et, en plus, ils travaillent

Avec leurs piercings, leurs cheveux courts et leurs blousons de cuir, Ian et Steven, ces deux « nouveaux » immigrés anglais, pourraient choquer les « anciens ». Quoi de commun entre ce couple d'homosexuels, arrivés avec quelques milliers d'euros en poche, et ces riches retraités, achetant des domaines splendides « pour une bouchée de pain » ?

Un jour, Ian Stewart et Steven Grindel ont tout vendu. Ils ont jeté leurs valises dans leur camping-car et ont quitté Bournemouth, la station balnéaire de la Manche au sud de Londres, d'où partent les ferries vers « le continent ». Partis sans volonté de retour. « Avant, explique Ian, Bournemouth, c'était une ville de retraités, un peu le cimetière des éléphants. Aujourd'hui, des drogués, de l'alcool, des McDonald's, du stress toute la journée. L'Angleterre, quoi ! »

Quelques jours plus tard, Ian et Steven débarquent à Saint-Avit, deux mille habitants. Pourquoi le Périgord ? « Un ami nous avait dit que c'était super. » Pendant trois mois, ils ont dormi dans le camping-car avant de louer une petite maison.

Ian et Steven ne regrettent pas une seconde leur décision. « C'est de mieux en mieux. Les gens sont gentils, ils nous disent bonjour quand nous entrons dans un magasin. C'est ici que nous voulons vivre, et pas ailleurs. » Avec émotion, Ian raconte la fête organisée pour son soixantième anniversaire. « Tous nos voisins sont venus. Il y avait près de quatre-vingts personnes, de toutes les nationalités. Même ceux qui ne s'entendaient pas entre eux. »

Principale différence avec les émigrés de la première génération, pour la plupart inactifs : Ian et Steven doivent gagner leur vie. Le premier travaille dans le jardinage et la cueillette des fraises, le second, après avoir tâté de la menuiserie, a été engagé à plein temps dans une ferme. Et c'est avec une fierté non dissimulée que l'enfant de Bournemouth dit avoir appris comment aider les vaches à vêler. Conseillés par des amis français, Ian et Steven se sont mis en règle avec les différentes administrations et sont sans doute les seules personnes au monde à trouver « ultrasimples » les procédures françaises.

Un matin de mars 2005, Julian et Sarah Diprose ont eux aussi pris la direction du Périgord. Avec leurs deux enfants, Sam, six ans, et Freya, deux ans, ils emménagent à Nanteuil-Auriac dans un ancien moulin, prélude à leur installation quelques kilomètres plus loin, dans « leur » maison (achetée quatre-vingt-quatre mille euros) qui a besoin de sérieux travaux pour être habitable.

Pourquoi un couple encore jeune, trente et un et trente-sept ans, gagnant correctement sa vie, possédant une petite maison, non loin de Nottingham, décide-t-il un beau jour de traverser la Manche ? « Nous en avions assez de cette *rubbish life* (vie pourrie), répond Sarah, assez de travailler du matin au soir, assez de courir d'un endroit à l'autre, assez de l'Angleterre. » Leur rêve : « une vie plus simple », avec moins d'embouteillages, des services publics de meilleure qualité, des remboursements d'emprunts moins importants, des rues avec moins de délinquance, et un environnement plus sûr et plus sain pour leurs enfants.

Pourront-ils « tenir » longtemps sans revenu fixe ? Pas sûr. « Un Anglais débarquant en France ne peut exercer que trois métiers : agent immobilier pour les Anglais qui vont arriver, cuisinier pour les touristes anglais ou homme à tout faire pour les Anglais qui doivent retaper leurs maisons », ironise Tim Williams. Cet ancien patron d'une entreprise de marketing a émigré en Charente en 2001, après avoir tout vendu. Il a créé trois gîtes qu'il loue à des compatriotes pendant les vacances, et retourne de temps en temps en Angleterre pour animer des séances de *consulting* destinées aux Britanniques désireux de vivre en France. « Beaucoup veulent faire comme moi : ouvrir des gîtes. Le problème, c'est que les gîtes, ici, sont vides entre octobre et mai. Je leur explique aussi que, s'ils ne parlent pas le français, ils auront du mal à trouver un boulot. Le taux de chômage est aujourd'hui de 10 % en France, et plus important encore dans les campagnes. Un patron va toujours donner la priorité à un Français. »

Pour assister les nouveaux venus dans leur difficile installation en France, un métier a vu le jour : « aideur d'Anglais ». Trustée par les Britanniques, cette profession prend des formes diverses et semble s'étendre partout où l'on signale l'arrivée possible de nombreux envahisseurs. En octobre 2004, Alain Lucas, le maire de Vendoire et président de la communauté de communes de Verteillac, a ainsi embauché, Sally Jarron, afin de favoriser l'intégration des résidents étrangers.

Née en 1968 dans le Derbyshire, Sally, après des études de français et d'art moderne, passe pour la première fois des vacances en France en 1989. Très précisément à Bouteilles-Saint-Sébastien. « Dix-sept ans déjà », soupire-t-elle. Elle y est restée et s'est mariée avec un homme « du cru ». Aujourd'hui, les deux cents habitants du bourg se partagent pour moitié entre Anglais et Français. Parfaitement bilingue, dynamique et généreuse, la jeune femme devient vite la confidente et l'interprète de ses compatriotes. Bénévolement. Jusqu'au jour où elle décide de passer à la vitesse supérieure et d'en faire son *full-time job*. Elle initie ce projet de médiatrice, en parle à Alain Lucas, qui donne son accord et trouve un financement européen.

Première mission : faciliter, autant que faire se peut, les rapports des Anglais de la région avec l'Administration française : impôts, Sécurité sociale... Elle fait aussi office de porte-parole. « J'ai dû expliquer aux Anglais ce que les Français entendaient par tout-à-l'égout. » Sally, qui ne dira pas, respect de son employeur oblige, ce qu'elle pense vraiment de la bureaucratie hexagonale, préfère insister sur les « incompréhensions » réciproques. « J'ai mis longtemps à faire comprendre à un Anglais, coupable d'excès de vitesse, pourquoi on allait lui enlever des points sur son permis de conduire. Il ne comprenait pas : en Angleterre, en cas de vitesse excessive, on n'enlève pas des points on en ajoute ! » Sally assiste aussi aux mariages. Elle raconte en riant : « Quand le prêtre pose, en français, la question fatidique, je traduis et c'est à moi qu'ils disent "oui". »

Pour cette intermédiaire attentionnée, la meilleure manière de lutter contre les incompréhensions reste l'apprentissage de la langue du voisin. Deux fois par semaine, elle anime ainsi des séances de discussion où tous les sujets sont abordés, de la cuisine à la sécheresse en passant par les jours fériés en France. Une seule règle : on n'y parle que le français. Un succès. Chaque mercredi, plus de vingt-cinq personnes, dont trois ou quatre autochtones, sont présentes. Malgré ces résultats encourageants, Sally, qui a la double nationalité, ne se fait pas beaucoup d'illusions sur la volonté de ses compatriotes, français et anglais, d'apprendre une autre langue que la leur.

Assistante sociale, institutrice, Sally se transforme aussi en médiatrice pour tenter de régler au mieux les problèmes de voisinage. « Surtout entre les Anglais ! Ah, ces discussions sur les bambous de l'un qui poussent dans le champ de l'autre ! Ces fenêtres de l'un ouvertes sur la cour de l'autre ! Ces clôtures ! »

Installé dans le Limousin, Anthony Thompson, fait lui aussi office de « médiateur » entre Anglais et habitants de la région. Il s'est, en quelque sorte, établi à son compte. « Il a commencé, écrit Didier Arnaud [1], par dépanner ces

---

1. *Libération*, 26 décembre 2005.

71

Anglais "asociaux" qui n'aiment rien mieux que de rester entre eux. Mais, très vite, il a compris qu'ils abusaient de sa gentillesse. Un jour, il a dit stop. S'est décidé à monnayer ses services : 38,50 euros l'heure. » Le voilà maintenant avec une trentaine de clients qui lui demandent de les assister, notamment dans leurs contacts avec l'Administration.

On trouve des « aideurs d'Anglais » beaucoup plus loin. À Rémalard, par exemple, à soixante kilomètres de Chartres, dans le Perche. Greg et Astride Adams ont décidé de s'y installer après avoir vécu en Angleterre, en Afrique du Sud et au Japon. Pourquoi le Perche ? Cheveux bouclés, trente-quatre ans mais en paraissant dix de moins, Astride, fille d'une mère française et d'un père allemand, répond sans ambages : « D'abord, parce que nous adorons la France et que nous voulions que nos enfants aient des racines quelque part. Pendant sept ans, nous y sommes venus en vacances et nous avons eu un coup de foudre pour le Perche. Ici, il n'y a pas encore la pollution visuelle – des pancartes partout, annonçant l'hôtel Mercure ou le magasin Carrefour – qui dénature certaines autres régions. Nous sommes un peu dans la France d'il y a cinquante ans. » Autre argument, apparemment important : « Dans le Perche, il n'y a pas encore beaucoup d'étrangers. Contrairement au Périgord, par exemple, où les Anglais sont en surnombre, ce qui crée des jalousies, des incompréhensions. »

Il n'y a pas beaucoup d'Anglais ? Qu'à cela ne tienne, nous aiderons ceux qui arrivent, semble penser Astride. Avec son mari, un Anglais de trente-huit ans, ancien directeur de marketing d'une banque américaine, elle monte Perch Property Services. Au départ, il s'agit de s'occuper de la maintenance des résidences secondaires durant l'absence des propriétaires. L'objet de la société s'est ensuite élargi. « Je peux m'occuper de la traduction d'un contrat, de la négociation avec un artisan, mais aussi aider une femme à faire ses premières courses dans le village, lui expliquer par exemple qu'ici on n'achète pas tout au supermarché, qu'il y a encore des boulangeries ou des boucheries, lui faire comprendre la correspondance entre produits anglais et produits français. »

Astride et Greg veulent aussi jouer un rôle dans la région. Lui, donne ainsi des cours d'anglais dans une entreprise locale. Elle, a organisé un voyage d'études sur les huiles végétales en Allemagne pour les agriculteurs de l'Orne et de l'Eure-et-Loir.

Astride et Greg ne sont plus les seuls à travailler dans ce créneau, apparemment porteur, d'assistance à Anglais en difficulté d'intégration. De l'autre côté du département de l'Orne, à Saint-Mars-d'Egrenne, Bernard Landsmann, a créé Oui Can Help, une société, employant quatre personnes, dont le but est aussi d'aider les familles anglophones. De la prospection immobilière à toutes les démarches de l'implantation : que faire avec les animaux domestiques ? Et la télévision par satellite ?

À sa manière, Graham Briggs se présentait lui aussi en « aideur d'Anglais ». Cet homme élégant et beau parleur ne proposait-il pas à ses compatriotes du Périgord des placements particulièrement juteux qu'il empochait allègrement. « C'est au volant d'une vieille Clio et sans le sou, raconte Sophie Austruy [2], que Graham Briggs

---

2. *Le Figaro*, 31 janvier 2006.

arrive en Dordogne fin 1999. C'est en Aston Martin, avec plus de trois millions d'euros, qu'il s'enfuit, début 2006, après avoir escroqué de riches Anglais qui pensaient couler une retraite paisible en Périgord. » Une jolie façon de filer à l'Anglaise pour cet escroc soucieux d'éviter toutes discriminations : deux françaises figurent sur la liste des victimes.

Stephen Lynch, « Steeby » pour les intimes, n'a eu besoin de personne pour trouver du travail. Aujourd'hui à la tête d'une petite entreprise de bâtiment, cet homme affable de quarante-sept ans, marié à Isabelle, une jolie Périgourdine, présente tous les signes d'une réussite à la française. La preuve : il râle contre les taxes qui étranglent les petits entrepreneurs !

Ce soir, la grande pièce du rez-de-chaussée de sa maison abrite un curieux puzzle culturel. Assise devant la télévision, sa mère, venue d'Angleterre pour des vacances, regarde sur la BBC, une émission équivalente du *Maillon faible*, tout en lisant un magazine. « Mamy » ne parle pas un mot de français. À côté, Isabelle range du linge tout en demandant, en français, à son fils, treize ans, de quitter son jeu vidéo pour venir dîner. En vain : l'enfant est trop occupé à son match de football virtuel.

Autour d'un verre de porto, « Steeby » raconte son histoire dans un français impeccable, agrémenté d'une pointe d'accent imprescriptible. Charpentier de son état, barbu, sac sur le dos et pas un sou en poche, il arrive pour la première fois dans la région en 1977 avec deux amis, dont Nick, un jeune maçon. Les trois compères sont engagés pour la cueillette des pommes. « Un boulot très dur, que je n'aimais pas beaucoup. Je me souviens d'un jour, il devait être cinq heures du matin, j'étais, en petites tennis, sur un arbre, il y avait du brouillard partout, j'avais froid et devais travailler au moins dix heures. Je me suis demandé ce que je faisais là.» Au bout d'un mois et demi de ce régime, ils ont suffisamment d'argent pour partir en Grèce et en Israël. De vraies vacances.

Steeby continuera à voyager : Danemark, Hollande, France. Il revient pourtant chaque année dans le Périgord. Moins par goût pour le ramassage des fruits que pour revoir Isabelle, dont le père est justement chef de culture dans une pommeraie. Un père qui ne voit pas d'un très bon œil le copain de sa fille «vivre comme un globe-trotter». Steeby et Nick se mettent à leur compte. D'abord pour la taille des arbres mais aussi, se souvenant de leurs anciens métiers, dans les petits travaux du bâtiment. «Petit à petit, c'est le bâtiment qui a pris le dessus.»

Nous sommes en 1987. Steeby et Nick sont lancés. Ils ne dételleront pas. Travaillant autant pour des Anglais que pour des Français, ils sont maintenant parmi les plus anciens dans la branche. «À part quelques vieux grincheux, on est plutôt copains avec les autres collègues.» Râlant contre ses compatriotes «qui bossent au noir» – «c'est pas bon pour nous» –, Steeby a un problème : les charges sociales. «Ici, on a toujours l'impression qu'on n'aime pas ceux qui gagnent de l'argent.» Ce qui lui manque ? «Les pubs», répond-il spontanément. Et de rêver, tout d'un coup. «Un vrai pub, avec de la moquette, à l'ambiance chaude et conviviale, qui sent la bonne bière et où on peut venir le soir en famille.»

Dernière nouvelle d'importance : parmi les Anglais venus travailler en France, on signale l'arrivée dans les

75

Alpes-de-Haute-Provence d'une bergère professionnelle engagée pour accompagner la transhumance des moutons vers les alpages.

Une bergère, des moutons : un air déjà entendu. D'ici à ce que Dieu demande à cette jeune femme de libérer la France. Mais Dieu parle-t-il anglais ?

CHAPITRE 7

Les plus-français-que-français

Connaissez-vous Tom Paine ? En février 2001, à quelques semaines du premier tour des élections municipales, les quatre cents habitants d'Abjat-sur-Bandiat, une commune située au nord du Périgord, trouvent dans leur boîte aux lettres, une profession de foi, bien classique au premier abord. Quelques fermes promesses sur « le maintien du patrimoine ainsi que des anciennes traditions périgourdines qui restent les valeurs profondes de notre vie », une autopromotion musclée, « je suis certain d'avoir assez d'énergie et d'idées créatrices pour assurer mon rôle de conseiller », une attaque contre les « politiciens lunatiques proclamant d'une voix : "Vive la France profonde" et qui se foutent, en fait, des priorités culturelles et de notre très cher patrimoine ». Rien de plus normal en ces temps de défense exacerbée des trésors de notre belle France.

77

Une phrase attire pourtant l'attention des Abjatiens et des Abjatiennes. « Laissez-moi, leur demande le candidat, vous faire connaître une page de l'histoire de France. » Et de raconter le destin de Tom Paine, « né le 29 janvier 1737 en Angleterre, arrivé en France en 1781 et élu membre de la Convention nationale française en 1792 ». Les habitants de la commune apprendront aussi que Tom Paine, emprisonné « par le très célèbre Robespierre », profita de son séjour dans les geôles de la République naissante pour écrire *L'Âge de raison* et qu'il redevint membre de la Convention nationale de 1794 à 1802.

On l'aura compris : seul un Anglais pouvait briguer le suffrage des électeurs d'un village de la France profonde en défendant « notre très cher patrimoine » et en se revendiquant du premier citoyen britannique ayant siégé dans un parlement français. Ce ne sera pas suffisant : Stewart Edwards, dans son impétuosité de néophyte, était parti tout seul à la bataille électorale et, en dépit d'un score très honorable, n'a pas été élu conseiller municipal d'Abjat.

Il s'en est remis. Bien carré derrière son bar, cet homme de cinquante-cinq ans, cheveux longs et blancs, moustaches longues et blanches, teint suffisamment rubicond pour penser qu'il n'hésite pas à goûter les produits de son établissement, prend avec humour cet échec relatif. N'est-il pas devenu le symbole incarné de l'intégration réussie d'un citoyen britannique dans un village de France ?

« J'étais qualifié pour presque rien, alors pourquoi pas un bar ? » Quand il arrive en 1989 à Abjat avec sa femme, Susan, Stewart a une formidable envie de mener « une vie plus valable » et une méconnaissance absolue de la gestion d'un hôtel-restaurant/bar-tabac dans un petit village retiré du Périgord. Jusqu'à présent, ce psychologue de formation avait été proviseur d'un collège de plus de mille élèves dans la banlieue de Londres et Susan inspectrice des impôts.

Quelques semaines après leur arrivée, le couple « tombe directement en amour » d'un commerce à reprendre : le restaurant Aymard, à Abjat. Un bel endroit, juste assez désuet pour plaire à des personnages en quête d'authenticité. L'accueil du village est « superbe », raconte Stewart, à l'époque le seul Britannique d'Abjat.

Il garde le même menu. Sauf les desserts, qu'il anglicise : *cheese cake, crumble*. Mais, chut ! « Au début, raconte-t-il, je ne disais rien. J'attendais d'abord le jugement des clients. S'ils étaient satisfaits, je leur révélais que c'était anglais. Ils semblaient stupéfaits : "Anglais, ah bon !" » Autre entorse : le vendredi soir, Stewart et Susan préparent un dîner asiatique.

Progressivement, le couple va imprimer sa marque à l'établissement. D'abord, ils en changent le nom. Le restaurant Aymard devient *L'Entente cordiale*, en hommage à cette alliance signée en 1904 entre la France et l'Angleterre. Le 20 juin 2004, pour fêter le centième anniversaire de l'événement, Stewart offre un repas gratuit à ses clients et organise une « grande » compétition de pétanque entre Français et Anglais.

Stewart, « une salle des fêtes à lui tout seul », comme le qualifie un de ses clients, multiplie les animations. Du « lancer de bottes en caoutchouc » à la « chasse aux œufs de Pâques » sans oublier les traditionnelles parties de quilles du vendredi. « Je savais bien, explique-t-il, que si j'attendais les clients, je serais cuit, alors j'ai été obligé de dynamiser tout cela. »

Son principal titre de gloire reste la transformation d'Abjat en une des capitales mondiales du *conkers*. Explication technique de ce sport méconnu : « Le teneur tient une ficelle au bout de laquelle est pendu un marron préalablement percé. Le frappeur doit à l'aide d'un autre marron, suspendu de la même façon au bout d'une ficelle, frapper celui de son adversaire. Au bout de trois frappes successives, le teneur devient à son tour frappeur et *vice versa*. Le but du jeu est de détruire complètement le marron de votre adversaire avant qu'il ne casse le vôtre et tout cela en moins de cinq minutes. »

Stewart Edwards a-t-il voulu implanter en France un jeu originaire d'Angleterre ou rétablir la pratique d'un divertissement bien français ? La question est d'importance. De sa réponse pourrait dépendre le jugement que l'Histoire portera sur le cafetier d'Abjat. Sous-marin au service des intérêts d'Albion ou citoyen voulant faire honneur à une nationalité française dignement acquise le 27 juillet 1998 ? Les experts, malheureusement, ne sont pas d'accord entre eux. Pour certains, le *conkers* a été imaginé par des enfants anglais au XIe siècle. Pour d'autres, sûrement plus sérieux, il est originaire de Normandie et fut importé en Angleterre par Guillaume le Conquérant. Des linguistes cautionnent cette thèse en insistant sur la similitude entre « conkers » et « conquérant ». Ou en laissant supposer que le mot pourrait venir du verbe « cogner ».

La querelle n'est pas close. Céline Graciet, une traductrice indépendante réagit ainsi sur son site Web à un article du *Nouvel Observateur* consacré au *conkers* : « J'aimerais éclaircir un point important pour ceux qui auraient des raisons de penser que les Britanniques ont trop de temps libre : la grande majorité des amateurs de *conkers* a moins de dix ans. » Sur le même site, la jeune Solveig écrit : « J'habite avec un Anglais de huit ans qui a, il y a un mois, envahi le salon avec des sacs remplis de marrons. Ignorante, je lui demande ce qu'il compte en faire, il soupire : "Les Français, faut vraiment tout leur expliquer !". » Lu aussi, sur un autre site : « Je ne suis pas surprise que la Fédération française de conkers soit localisée en Dordogne car là-bas il y a plus de Brits que de Froggies. »

Savait-il, Stewart Edwards, en organisant, dès 1989, une première compétition de *conkers* à Abjat avec une quinzaine de participants puis en créant la Fédération française de conkers, qu'il rallumerait une si belle querelle ? Toujours est-il que le 1er octobre 2005, pour la quinzième année consécutive, le Championnat de France de conkers s'est déroulé à Abjat, au grand plaisir des hôteliers et restaurateurs de la région, envahie par des centaines d'amateurs ou de curieux. Rien à voir, certes, avec la dizaine de milliers de spectateurs présents chaque année aux Championnats du monde d'Ashton, qui voient s'affronter plus de cinq cents joueurs. Parmi ceux-ci, de plus en plus de Français, venus porter le fer en plein territoire ennemi. En 1997, c'est ainsi un enfant d'Abjat qui remporta la médaille d'argent et, en 2001 et 2004, les Françaises triomphèrent au Championnat du monde par équipes.

Retour à *L'Entente cordiale* d'Abjat. Ce mardi en fin de matinée, quelques clients, passés chercher le journal, en profitent pour boire des « galopins grenadine ». « Le soir, en été, explique Stewart, il n'y a pratiquement que des Anglais ici, mais je fais très attention à ce que les rares Français ne se sentent pas isolés. » « Quand je suis arrivé ici, confie Stewart, j'avais quelques idées sur la France. Je pensais, par exemple, que c'était un pays dirigé par l'Église. Je me suis vite aperçu que l'Église a un rôle plus important en Angleterre. » Une découverte : « Le rapport avec la terre, avec l'agriculture. Tous les Français ont un agriculteur dans leur famille. Ils ont un grand respect pour les paysans. » Stewart reste, en revanche, persuadé que les Français ont moins d'humour que les Anglais vis-à-vis de leurs hommes politiques. « Ici, on ne rigole toujours pas avec l'autorité ! » Ainsi, lors de la dernière présidentielle, il avait donné le nom des candidats à ses cocktails. « Vodka-Jospin », par exemple. « Les clients n'ont pas eu l'air d'apprécier ! »

À propos, cher monsieur Stewart, vous qui avez la nationalité française, vous qui siégez à la chambre des hôteliers et avez brigué une place au conseil municipal, vous sentez-vous anglais ou français ? « Je vis ici, je travaille ici, je consomme ici, je paye mes impôts ici ; en quelque sorte, j'existe uniquement en France. Mais, je reste fier d'être anglais. » Et lors du Tournoi des Six Nations ? « Je fais la fête avec les Français mais mon cœur bat pour l'Union Jack. » Foin des esquives. Restait à poser « la » question. Celle qui ne permet aucun faux-fuyant : content ou mécontent de la décision d'attribuer à Londres l'organisation des prochains Jeux olympiques ? Réponse du patron de *L'Entente cordiale* : « J'ai été déçu pour les Français. » Trop fort, Stewart !

Encore plus fort, Richard Doughty. À la même question, ce Franco-Anglais de cinquante et un ans, propriétaire d'un vignoble bio, réplique en riant : « Comme tous les Périgourdins, je me suis dit qu'il sera plus facile, et moins cher, d'aller à Londres qu'à Paris. » Dans cette communauté anglaise du Périgord, pas spécialement gauchiste, Richard fait figure d'anomalie. Ne milite-t-il pas aujourd'hui au sein des Verts après avoir été longtemps membre du Parti socialiste ? Comme Stewart, il a demandé la nationalité française. Comme Stewart aussi, il s'est présenté aux élections municipales de son village, Monestier, célèbre pour sa bastide, construite en 1284 par les officiers du roi d'Angleterre. Mais, contrairement à son compatriote, il ne s'est pas présenté en candidat indépendant et a été élu.

Né à Windsor d'un père anglais et d'une mère française, Richard, après avoir travaillé dans une multinationale du pétrole, rejoint en 1981 ses parents, venus prendre leur retraite dans le Périgord. Il décide de se recycler dans le vin et passe son brevet de technicien en œnologie. Son cru, le Château Richard, produit dans la plus parfaite orthodoxie « bio », fait le bonheur des écolos de France et de Navarre.

Lui aussi a l'air de regretter parfois le temps où la communauté britannique, plus petite, paraissait plus solidaire. « On pouvait voir un général à la retraite parler avec un charpentier. Ce qui est moins le cas aujourd'hui, où les barrières sociales semblent avoir été reconstruites. »

Non seulement Richard Doughty a pris la nationalité française, non seulement il milite pour des organisations de gauche, mais il pousse même l'originalité jusqu'à critiquer les aides publiques aux compagnies d'aviation *low cost*. « C'est quand même un fabuleux paradoxe de voir l'argent des contribuables versé à des entreprises privées alors que toute subvention est interdite à une compagnie nationale ! »

Richard, qui avoue avoir soutenu les « bleus » lors du Tournoi des Six Nations, a pourtant été pris à partie, lors d'une réunion de la gauche plurielle, par Georges Sarre, le lieutenant de Jean-Pierre Chevènement, à qui il reprochait la dérive nationaliste de son mouvement. « Au lieu de me répondre sur le fond, il s'est contenté d'ironiser sur mon accent britannique. » Bouter hors de France tous les Anglais, même les convertis : Richard Doughty peut se consoler, ce n'est pas la première fois que Jean-Pierre Chevènement et ses amis se prennent pour Jeanne d'Arc.

L'entente cordiale, Anya et Stéphane, les patrons du pub d'Eymet, la vivent au quotidien. Au prix de longues discussions, qu'ils évoquent avec tendresse. Ainsi, Stéphane, le Français, athée et républicain, a réussi à obtenir, que leur fille, Romie, six ans, aille à l'école publique. Il aura fallu aussi de longues palabres pour qu'Anya, l'Anglaise, parvienne à convaincre son mari de l'incongruité des trente-cinq heures. Unanimité en revanche pour parler en français à leur chien. « Dagwood » n'est-il pas né à Carpentras ?

Après s'être rencontrés en Savoie, où elle était fille au pair et lui technicien de ski, ils s'installent à Bordeaux, puis en Bretagne. Elle travaille comme hôtesse de l'air, lui, ouvre un restaurant. De nouveau, ils ont des fourmis dans les jambes et redescendent dans le Lot-et-Garonne. Pour, finalement, poser leurs valises à Eymet où ils achètent une maison et un salon de thé, qu'ils transforment en pub.

Ah, « le » pub d'Eymet ! Celui-ci figure vite en bonne place sur les clichés faisant d'Eymet « la » bourgade la plus anglaise du Périgord. Ne dit-on pas que les Britanniques y seraient « au moins » mille, soit plus de la moitié de la population ? Encore plus fort : l'auteur de ces lignes n'a-t-il pas entendu un Parisien lui jurer, croix de bois croix de fer, que les automobilistes y conduisaient à gauche !

Il suffit de passer quelques jours d'hiver à Eymet pour s'apercevoir que les deux à trois cents résidents anglais sont bien discrets, se fondent dans le paysage, et que l'on y entend avant tout l'accent chantant et rocailleux du Sud-Ouest. Comme ce samedi soir à la crêperie du village, où une solide tablée d'« anciens » et d'« anciennes », la plus jeune avait soixante-dix-huit ans, se retrouve autour d'une réconfortante fondue. Ici, explique une plaque apposée sur la devanture du restaurant, Henri IV écrivit une lettre d'amour à la belle Corisandre. Sous l'influence, sans doute, du « Vert Galant », les plaisanteries des seniors, au fur et à mesure que le vin circule, tourneront rapidement autour de deux thèmes récurrents. Illustrés par ces formules, saisies au passage : « J'ai le gésier qui digère tout », disait l'une. « La bistouquette, ça ne sert pas seulement à pisser », répondait l'autre.

Anya rigole gentiment de l'image donnée aujourd'hui par son pub. « On me demande si c'est un pub irlandais ou anglais, moi qui suis incapable de dire ce que c'est qu'un "vrai" pub. Voilà sept ans que je n'ai pas mis les pieds en Angleterre. » Comble du paradoxe : ce sont certains Anglais d'Eymet, les mêmes à protester régulièrement contre le nombre de résidents anglais, qui ont le

85

plus râlé contre l'ouverture d'un pub. « Celui-ci, disaient ces puristes, était susceptible de briser l'harmonie du lieu. »

Un autre Anglais se moque gentiment de ses compatriotes voulant être « plus français que les Français ». « Ce sont pourtant eux qui commettent souvent les trois erreurs fatales, qui feront reconnaître entre mille un Anglais d'un Français :

– un : les Anglais entrent dans le pub sans dire bonjour ;

– deux : ils veulent déjeuner après trois heures de l'après-midi ;

– trois : ils commandent un café au lait avec leur steak. »

Autre clientèle et moins de débat existentiel, cent mètres plus loin, au café de Paris. Ici, on boit son coup sans chichis. Quelques jeunes d'Eymet, vite rejoints par une équipe d'Anglais, d'anciens joueurs de rugby à voir leur carrure, se mettent en jambe en buvant quelques litres de bière avant d'attaquer le plat de résistance : une virée dans la discothèque la plus proche.

Une fois la joyeuse bande partie, un des consommateurs, loin d'être à son premier pastis, profite du silence revenu pour répondre à la question, que personne d'ailleurs ne lui a posée. « Ce que je pense des Anglais ? Il faut savoir, monsieur, qu'il y a deux sortes d'Anglais. Vous savez lesquelles ? », interroge t-il avant de tremper ses lèvres dans son verre et nous donner ainsi le temps de réfléchir rapidement à cette nouvelle sociologie britannique. Anglais du Sud et Anglais du Nord ? Anglais d'Angleterre et Anglais d'Irlande ? Anglais riches et Anglais pauvres ? Sûr de son effet, notre homme prononce alors ce jugement irrévocable : « Non, monsieur, il y a l'Anglais d'hiver et l'Anglais d'été. »

Et de comparer, comme un maquignon le ferait avec deux races de bestiaux, les qualités et les défauts des uns et des autres. Résumons : l'Anglais d'été, le touriste, est « bruyant », « radin », « désordre ». L'Anglais d'hiver, le résident, est « sympa », « généreux », « discret ». Encore une lampée de pastis et arrive la conclusion : « comme nous ».

CHAPITRE 8

Même entre eux, ils parlent anglais !

Il pleut ce dimanche de septembre sur le Périgord. Une pluie fine et persistante, annonciatrice de l'automne. *Chez Vévé*, à Cause-de-Clérans, un des rares cafés-tabacs ouvert dans la région, trois hommes sont assis sur des grands tabourets, devant le bar. Derrière, la patronne, Geneviève, « Vévé » pour les intimes, tricote. S'il y a en avait un, on entendrait le poêle ronronner. Deux hommes, massifs, apparemment des saisonniers venus pour les vendanges, boivent de la bière. À leur côté, le troisième lascar paraît bien fluet. Avec sa casquette vissée sur la tête, sa drôle de veste, ses yeux brillants, on le prendrait pour un frère jumeau de Michel Audiard. Il boit un whisky-Perrier. De temps en temps, l'un d'eux lâche un mot. Les autres acquiescent. « Sale temps », dit l'un. « On dirait l'hiver », répond l'autre, une bonne minute après. *« Fucking »*, lance enfin le buveur de whisky.

Patrick, soixante-cinq ans, est anglais. Irlando-Anglais plutôt. Né à Dublin, ce jockey professionnel a vécu en Angleterre puis s'est installé dans le Périgord lorsqu'il a cessé de courir, il y a quinze ans. Depuis, il vit ici avec sa femme et ses cinq chevaux ramenés d'Irlande. Les habitants du village l'ont adopté. « Un bon gars », résume Henri, son voisin de comptoir.

Chez Vévé, les soirs de vague à l'âme, lorsqu'il a un peu forcé sur le whisky, Patrick se laisse aller aux confidences. « Mon pays, c'est ici. Et c'est ici que je veux être enterré. » Les autres l'écoutent mais rares sont ceux qui le comprennent. Et pour cause : Patrick ne parle pas un mot de français. Même son anglais, surtout quand il a trop bu, est difficilement compréhensible pour qui n'a pas passé son enfance dans les pubs de Dublin. « À mon âge, je n'ai pas envie d'aller à l'école », se défend l'ancien jockey.

Vévé, sa principale interlocutrice, a trouvé la solution : un magnifique dictionnaire français-anglais trône à côté du bar. « Comme ça, on se comprend », dit-elle avec indulgence. Contrairement à Patrick, elle regrette de ne pas avoir suivi des cours d'anglais.

Pas loin de là, à Vézillac, vivent Rosemary et Michael Bamberger. Comme Patrick, ils habitent le Périgord depuis quinze ans. Lorsque nous arrivons, Michael s'exerce sur le petit terrain de golf – trois trous ! – qu'il a aménagé dans son parc. Dans un français parfait, Rosemary, toute de finesse, explique qu'elle est là pour ramasser les balles perdues par son mari.

Pull-over rouge, casquette blanche, Michael, avec ses yeux d'un bleu profond, a de faux airs de Jean d'Ormesson.

Nous entrons dans la maison. Michael, souriant, nous enlève le cliché de la bouche : « Oui, tous nos amis français, dès qu'ils ont franchi le pas de la porte, disent : "Comme c'est anglais, chez vous !" » Nous ne le leur dirons pas. Pourtant, comme c'est anglais chez eux ! Est-ce le crachin qui continue à tomber, est-ce la profondeur des fauteuils ou tout simplement une indéfinissable et irremplaçable atmosphère, mais nous nous sentons immédiatement transportés dans un cottage du Sussex ou du Lancashire.

« Trop peu d'Anglais, ici, parlent français, regrette Michael, alors, ils vivent dans une bulle, entre eux. En fait, au départ, ils pensent apprendre la langue par une sorte d'osmose, sans vraiment travailler. Et ça ne marche pas. Ils n'ont pas l'oreille, la musique n'arrive pas. D'où leur isolement. » Michael et Rosemary ont peut-être moins de mérite que d'autres à parler aussi bien la langue de Molière : leur fille a épousé un Français.

Mariée aussi à un Gaulois, Rikke Pedersen anime depuis quinze ans l'atelier d'anglais du Centre d'étude des langues (CEL) de la chambre de commerce et d'industrie de Bergerac. Cette Danoise affable énumère avec amusement, et un rien de fierté, les professions de ses élèves : « Un directeur d'hôtel, un éleveur de cochons, un clerc de notaire, une poignée de banquiers, sans omettre un viticulteur, un comptable, un parfumeur. Et j'en oublie. » « La mentalité des élèves a beaucoup changé, explique-t-elle, au début j'avais l'impression qu'ils venaient avec des semelles de plomb, comme obligés. Et puis, ils ont eu un peu honte de ne pas être capables d'accueillir leurs clients, en parlant un minimum leur langue. Aujourd'hui, ils savent que parler anglais est un "plus" pour eux, et que, de toute manière, il faudra bien qu'ils s'y mettent. »

Responsable du CEL, Christiane Cerf note une forte progression des inscriptions, surtout chez les commerçants, depuis l'arrivée des compagnies *low cost*. « C'est mon élevage de golden retrievers, confiait Georges Azzopardi, éleveur de chiens à Prigonrieux, au quotidien *Sud Ouest*, qui me pousse à apprendre l'anglais. Mes animaux participent à des concours internationaux et l'Angleterre est le berceau de la race. Grâce à la liaison aérienne, je pourrais embarquer l'un de mes reproducteurs pour aller faire une saillie dans la journée et rentrer le soir. »

Même s'il leur est impossible de chiffrer avec exactitude le nombre des Périgourdins suivant des cours d'anglais, tant les centres de formation, privés notamment, se sont multipliés, les organisateurs se félicitent : « Nous partions de si bas. Et puis, ne nous avait-on pas répété à l'envi qu'il était impossible d'apprendre l'anglais à des Français ? » Dans le Limousin voisin, les autorités régionales, soucieuses de mieux intégrer des anglophones de plus en plus nombreux, ont distribué pour cent cinquante mille euros de « chèques langues ».

Autre professeur d'anglais : Peter Hackett. Un personnage. Cet « Irlandais de mère anglaise » qui se sent « davantage celte qu'anglo-saxon » vit en France depuis quinze ans. Il a touché à tous les métiers : disk-jockey, entrepreneur dans le bâtiment, commerçant. Il a aussi participé à l'écriture d'une série de vingt émissions sur les Beatles pour Radio-France et réalisé, pour une autre radio, des sketches racontant les aventures d'un Anglais « un peu époustouflé » par ce qu'il voit ici.

Habitant avec sa femme, une Française, dans un minuscule village, « sept habitants et quatorze chiens », entre Limoges et Périgueux, Peter, tout en continuant à avoir mille autres activités, donne des cours de langue. La liste de ses élèves ressemble aussi à l'inventaire de Prévert : la fille du boucher, la dame de l'État civil, des membres du Centre national d'archéologie, la pharmacienne, le dentiste. « Il faut bien, lui a dit celui-ci, que je communique avec mes patients anglais. »

Linguiste distingué, fier de parler l'occitan, Peter aime à comparer le français, « une langue brusque, efficace », à l'anglais, plus « méandreux ». « En France, quand il est interdit de fumer, on vous dit : "il est interdit de fumer". En Angleterre, on vous dit : "je suis désolé, mais puis-je vous rappeler qu'il est interdit de fumer ?" »

Beaucoup n'ont pas besoin de cours particuliers pour se mettre à la langue de Shakespeare. Ainsi de cette vieille paysanne, fière dans sa robe noire, qui, après avoir vendu une douzaine d'œufs à un Anglais au marché de Lalinde, lui demande sans vergogne, mais avec un accent périgourdin des mieux sentis : *« Do you wanteu morreu ? »*

Quelques minutes plus tard, le même Anglais est interpellé par un brocanteur : *« Good morning, Sire, veri chip, veri chip. »*

Un autre brocanteur intervient :

« Hé, patate, on ne dit pas *"sire"* mais *"sœur"*, tu vas le faire fuir ton client !

– Si je suis une patate t'es une citrouille, et fous pas ma sœur là-dedans ! »

Michael Bamberger raconte une autre histoire. « J'étais dans un café de Bergerac en compagnie d'un ami américain et nous parlions français, ce qui nous arrive de temps en temps. Un de nos voisins, de plus en plus intrigué, a fini par s'approcher, et, très poliment, nous demande pourquoi nous parlons français. Je lui ai répondu : "Mais c'est notre langue commune !" »

Avant de s'installer définitivement à Eymet, Janice et Dean Moody passaient tous leurs étés à sillonner le monde sur leur voilier. « Un soir, racontent-ils, dans un petit port de la côte turque, nous avions sympathisé avec un couple d'Anglais dont le bateau mouillait juste à côté du nôtre. Au fur et à mesure de la conversation, nous avons compris qu'ils habitaient aussi dans le Périgord, et tout près de chez nous. C'étaient les Bamberger ! »

Le problème de Janice Moody n'est pas tant la langue, puisqu'elle parle un français (presque) parfait, mais ce que nous appellerions, sans vouloir prêter à confusion, la « cérémonie française des préliminaires ». « Avant de parler, il faut dire bonjour, explique-t-elle en riant, mais comment faire ? Première question : la bise ou pas la bise ? J'opte pour la deuxième solution et tend une main virile. Malheureusement, la personne en face de moi a, elle, choisi l'embrassade. Commence alors une étrange pantomime : tandis que je retire ma main et avance ma joue, mon partenaire se livre à la même opération, mais à l'inverse : il retire sa joue et avance sa main. Si, par chance, nous avons tous deux décidé de nous faire la bise, une autre question se pose alors : la bise, d'accord, mais combien ? Une, comme en Belgique ? Deux, comme à Paris ? Trois, comme en Alsace ? Quatre, comme dans le Berry ? Une fois le premier contact physique établi, reste encore à choisir entre le tutoiement et le vouvoiement. Tout se complique encore. L'un me serrera la main et me tutoiera. Et l'autre me fera la bise et me vouvoiera. »

William Boyd, un des Anglais les plus célèbres du Périgord, où il vit une bonne partie de l'année, reste, lui, toujours frappé par les « bonnes manières » françaises. « Si j'étais, explique l'auteur d'*Un Anglais sous les tropiques*, mettons un Français, vivant dans la campagne anglaise ou écossaise, serais-je reçu avec autant de cordialité ? J'ai le très fort sentiment que mes concitoyens souffriraient de la comparaison. La différence se fait sentir notamment dans le comportement quotidien, des petites choses banales pour les Français, déconcertantes pour les Anglais. Les serrements de main, la manière de prendre congé ("Bonne continuation", "Bonne fin d'après-midi"), les "Messieurs-Dames" qui saluent votre entrée dans une boutique bondée [1]. »

Aussi polis soient-ils, de nombreux Périgourdins râlent pourtant contre la propagation de l'anglais dans leur région. « On n'entend plus que cela, dans les restaurants, à l'aéroport, dans les trains. Ils pourraient quand même faire un effort ! » Un autre habitué de *Chez Vévé* est plus catégorique. Montrant d'un coup de menton un groupe d'Anglais devisant tranquillement à une table voisine, il nous prend à partie : « Vous voyez : même quand ils sont entre eux, ils parlent anglais ! »

---

1. In *France-Grande-Bretagne, l'Entente cordiale*, brochure publiée par l'Association pour la diffusion de la pensée française (ADPF) sous l'égide du ministère des Affaires étrangères.

CHAPITRE 9

Buvons un coup, buvons-en deux

Un patron de café : « Quand les Anglais s'en vont, je sais que je peux fermer. » Un autre : « Pour boire, l'Anglais n'attend pas le réveillon. » Un troisième : « Quand il est dans un bar, l'Anglais donne toujours l'impression d'avoir peur de manquer de carburant. Sans doute, parce qu'il se croit toujours dans un pub. Alors, je leur sers souvent deux verres à la fois. » Un représentant de commerce : « Ils ont compris qu'il fallait attendre que les gendarmes soient couchés pour commencer à boire. » Un avocat : « Dans un banquet, les Français font circuler les bouteilles, les Anglais en posent une devant chaque convive. » Un jardinier paysagiste : « Les Anglais ouvrent une bouteille de vin et la boivent comme de la bière. » Martine, une dentiste parisienne qui passe ses vacances à Sorède, dans les Pyrénées-Orientales : « L'été, la coopérative est le lieu de rendez-vous de tous les Anglais du coin. Cubitainer à la main, ils viennent s'approvisionner en rosé et la vendeuse s'adresse toujours spontanément à moi en Anglais. » Quant à ce propriétaire d'un terrain de camping, il jure qu'on ne l'y reprendra plus. Comme compensation à leurs maigres salaires, ne commit-il pas la fatale erreur d'offrir à deux jeunes Anglais, engagés pour l'été, la possibilité de boire gratuitement tout ce qu'ils voulaient au bar du camping ? « Il s'en mord encore les doigts », se moque un de ses amis.

Bref, le constat est sans appel : « Question picole, les Anglais sont bien plus forts que nous ! » L'admiration dépasse toutes les limites quand les Français évoquent la propension des Anglaises, de la regrettée reine-mère à l'étudiante londonienne, à boire tout leur soûl sans jamais montrer le moindre signe d'ivresse. Si ce n'est un très léger rosissement des pommettes : « Quand nous sortons entre filles, confirme une jeune branchée de Bergerac, ce sont toujours les Anglaises qui boivent le plus. »

Laetitia Lagrange, aujourd'hui vendeuse dans un magasin de vêtements de la ville, évoque avec émotion l'ÉTC (« Épicerie-Tabac-Carburant »), le café qu'elle tenait avec son compagnon dans la banlieue de Sarlat. « Nous organisions des concours de fléchettes pour les Anglais, de dominos pour les Portugais et de baby-foot pour les Français », se souvient Laetitia qui avait un faible pour ses clients britanniques et « leur culture du lieu de vie », comme elle dit joliment.

Reviennent alors dans ses souvenirs : « Howard, le jeune prince tout blond, Wally, le baba cool, qui buvait toute la soirée et repartait chez lui, droit comme un i, et ce groupe de "dégustateurs" qui buvaient leur vin dans des verres de soixante-quinze centilitres. »

Revient aussi l'image impérissable de la tante d'un de ses amis, venue pour un week-end dans la région. Elle avait passé la soirée à jouer aux fléchettes et à boire des « cognacs limés ». Traduire : des cognacs allongés de limonade. « Elle avait une soixantaine d'années, ressemblait à la reine d'Angleterre avec ses cheveux en choucroute, ses jupes et ses talons hauts. Au bout du cinquième verre, elle commençait à se balancer d'une manière presque imperceptible. Au dixième, elle tanguait un peu plus, mais elle est restée digne jusqu'au bout et a toujours lancé ses fléchettes dans la cible. »

Les hommes politiques ne sont pas en reste. La récente démission de Charles Kennedy, le leader du Parti libéral démocrate britannique, pour cause d'alcoolisme, a donné l'occasion à la presse d'outre-Manche de rappeler la longue liste des politiciens connus pour ne pas refuser un verre. De William Pitt, le jeune, qui « descendait » ses trois bouteilles de porto par jour, à Winston Churchill, qui prenait un whisky-soda tassé à son petit déjeuner et, si l'on en croit le *Times*, « a traversé la guerre sur un tsunami de champagne et de cognac ». L'Alcootest d'or a pourtant été attribué à George Brown, ministre travailliste des Affaires étrangères dans les années 60. Lors d'une réception diplomatique à Londres, Brown, fin soûl, avait demandé à une personne vêtue d'une longue robe rouge : « Madame, m'accorderez-vous cette valse ? » « Non merci, répondit-elle, d'abord vous êtes ivre. Ensuite ce n'est pas une valse que l'on joue, mais l'hymne national péruvien. Enfin, je ne suis pas une femme. Je suis le cardinal archevêque de Lima. »

Dans ces conditions, comment ne pas être bons perdants et accepter le verdict populaire sur la supériorité indéniable des Britanniques dans ce domaine ? Et si William Boyd écrit : « quand il m'arrive de m'inquiéter de la quantité de vin que je bois chaque jour, je me console – ou me justifie – avec la pensée que j'en bois comme un Français », nous savons bien qu'il le fait pour nous faire plaisir et qu'il n'en croit pas un mot. Allons, monsieur Boyd, les Français ont aussi des défauts ! Dont celui de boire moins que les Anglais !

Reste la manière. Le cérémonial. L'extase. Beaucoup de Britanniques ne semblent pas comprendre ces Français qui prennent leur temps avant de boire, lèvent leur verre, admirent la couleur du nectar, le sentent, le goûtent, font claquer leur langue et, satisfaits, avalent une autre gorgée. Les Anglais, en revanche, sont là pour boire et ils boivent. Systématiquement, sérieusement, administrativement. « Comprends-moi, fait dire Antoine Blondin à l'un de ses personnages [1], des ivrognes, vous ne connaissez que les malades. Il y a aussi les princes incognito qu'on devine sans parvenir à les identifier. Ce sont des funambules persuadés qu'ils continuent d'avancer sur le fil alors qu'ils l'ont déjà quitté. Pour eux, la boisson introduit une dimension supplémentaire dans l'existence. »

L'Anglais, qui, dans les grandes occasions, mais dans les grandes occasions seulement, consent à lâcher du bout des lèvres, un *« cheers »* pincé, a souvent du mal à cacher sa surprise, voire sa consternation, à chaque fois que ses commensaux français entrechoquent leurs verres

---

1. Antoine Blondin, *Un singe en hiver*, collection Bouquins, Robert Laffont, 1991.

et accompagnent cette coutume barbare de commentaires d'une haute portée intellectuelle comme « à la tienne, Étienne » ou « Autant que les Boches n'auront pas ».

Stewart Edwards, le patron de *L'Entente cordiale*, explique en riant ce qui, à son sens, différencie le plus ses clients : « Un Anglais prend n'importe quoi et à n'importe quelle heure. En revanche, un Français se livre toujours à un cérémonial compliqué. Premier temps : il demande à haute voix l'heure qu'il est et regarde sa montre. S'il n'en a pas, il portera quand même les yeux à son poignet. Puis, sérieux, comme un homme qui doit prendre une décision fondamentale, il annoncera, toujours à haute voix : "Ah bon, il est six heures moins cinq !" Encore un silence et il annoncera sentencieusement le résultat de sa réflexion : "Pas encore l'heure de l'apéro". Il va alors me demander une bière ou un café. Mais s'il avait été six heures une, il aurait commandé "son" pastis. »

Luc Delouard, le patron du café du Commerce à Verteillac, fréquenté aussi par une majorité de Britanniques, a une explication de cet étrange rapport des Français entre l'horaire et la boisson. « C'est tout simplement une manière de se faire croire qu'il n'est pas vraiment alcoolique : jamais de pastis ou de whisky avant six heures ! Même si, une fois l'heure fatidique arrivée, il va s'en jeter six ou sept derrière la cravate. L'Anglais est moins hypocrite. »

L'anecdote suivante, certifiée exacte, conforte cette franchise des Anglais. Rapport à l'alcool s'entend. Deux commerçants établis dans un village de la région avaient l'habitude de « s'en jeter un ou deux » au bistrot sur le coup de dix heures du matin. Chacun laissait un message aux éventuels clients sur un écriteau attaché à la porte de sa boutique. « Je reviens dans cinq minutes », prévenait le Français. « Parti boire », précisait l'Anglais.

« Les Français, explique Janice Moody, ont plus de respect pour l'alcool que les Anglais. Ils ne boivent pas uniquement pour se soûler. » Et de raconter son « impair » les plus flagrant depuis qu'elle vit en France. « Un vin d'honneur avait été organisé. Il était midi. Je devais rentrer chez moi pour m'occuper de mes enfants. Et puis, commencer à boire si tôt ! Alors, tout naturellement, j'ai refusé un verre. Tout le monde était très choqué et j'ai réalisé pourquoi j'avais fait un faux pas : en France, boire un verre ce n'est pas une excuse pour commencer à se soûler, comme cela peut souvent l'être en Angleterre, mais une occasion de fêter quelque chose, de se retrouver ensemble. »

Attention toutefois aux généralisations. Si les milliers de personnes débarquant à Bergerac en provenance de Londres ou Birmingham se précipitent sur le « tout-venant », voire le « brutal » et semblent incapables de distinguer un bon vin d'un mauvais, de plus en plus d'Anglais, et notamment dans le Périgord, ont un goût très sûr. Cathy, la patronne du bistrot de Beaumont, qui donne sur la place de l'Église, construite en forme de H, en hommage à Henri III d'Angleterre, a deux sortes de vins. Une affreuse bibine qu'elle sert à Monsieur Tout-le-monde, quelle que soit sa nationalité, et un nectar de meilleure facture. Il est réservé aux *happy few*, principalement un groupe d'Anglais éminemment sympathiques, résidant aux alentours et qui se retrouvent tous les dimanches matin pour un apéritif copieusement arrosé.

Si les Périgourdins continuent, malgré les progrès enregistrés, à se moquer du manque de goût des consommateurs anglais, ils sont en revanche très admiratifs à l'égard des producteurs britanniques installés dans la région. « Les Anglais, ici, aiment la France et ce sont eux qui défendent le "vin à la française" ; souvent avec plus d'ardeur que les producteurs locaux », affirme ainsi Pierre Guérin, un jeune œnologue. « Il y a deux sortes de producteurs, poursuit-il, ceux qui sont nés dans le vin, les héritiers, ayant repris la propriété familiale et ceux qui ont choisi de faire du vin par défi ou par amour. Tous les Anglais appartiennent à cette deuxième catégorie et cela explique leur volonté de réaliser quelque chose de bien. »

Pour obtenir « un nectar, au tempérament très féminin, rond, gras, charmeur[2] », Olivia Donnan, propriétaire du Château Masburel, n'hésite pas à sacrifier les rendements à la qualité. En 1996, Olivia, qui vient de terminer une licence de français, et son époux, Neil, directeur du personnel chez Mars (le confiseur) vendent leur maison de Chelsea pour acheter le château Masburel à Sainte-Foy-la-Grande. Bâti en 1740 par Jean de Sembellie, consul de Louis XIV, il est alors dans un piètre état : façade recouverte d'un triste crépi gris, énormes taches d'humidité sur les murs. Quant au vignoble, il produit du vin en vrac sans intérêt.

Alors que Neil continue de travailler à Londres, Olivia entreprend une rénovation implacable du château et du vignoble. Elle installe le contrôle des températures, le microbullage. « Je n'étais peut-être pas du milieu, explique-t-elle, mais j'ai voulu tabler sur le haut de

---

2. *Château Classic, Le Monde des grands Bordeaux.*

gamme. Cela colle à la tendance actuelle : boire moins mais mieux. Aucun intérêt, dans ces conditions, à faire médiocre. » Elle ajoute en riant : « Mon ambition est toujours de faire le Pétrus du Périgord. »

Sans être (encore ?) arrivée à ce niveau d'excellence, Olivia Donnan a vu très vite ses efforts récompensés. Désormais, son vin est considéré comme un des cinq meilleurs de la région.

Charles Martin produit aussi un cru d'une grande vertu. Né au Pays de Galles, ce fils d'un négociant en vins raconte que son père lui demandait souvent avant de déjeuner « Alors, aujourd'hui, un Latour ou un Laffitte ? » Établi sur ses terres de Thénac en 1994, après avoir bourlingué de Californie en Afrique du Sud et de Nouvelle-Zélande en Australie, Charles, qui a mis un coq comme emblème de ses vins, aime avant tout expérimenter, sortir des règles, demander des dérogations pour parvenir à la meilleure qualité. Il revendique ainsi le qualificatif de « terroiriste », en artisan du terroir, face aux fabricants de crus supervitaminés et archiconvenus recommandés par Robert Parker, le critique américain qui fait la pluie et le beau temps dans le monde du vin.

Il faut le voir emmener son épouse, Gerrita, qui travaille aussi dans la commercialisation du vin, et ses trois enfants, Marguerite, Joséphine et Charles-Édouard, faire le tour de leur vignoble, entassés dans une Jeep, pour comprendre son attachement à ses vignes. Charles s'emporte : « Ici, c'est le même terroir que le saint-émilion et nos vins se ressemblent, mais voilà, tous ces snobs dévalorisent les vins de Bergerac ! » Il en veut notamment aux marchands anglais – « La plupart d'entre eux n'y connais-

sent rien » – et à ses compatriotes, qu'il trouve particulièrement « conservateurs » en la matière.

On peut comprendre que certains membres de la gentry
bergeracoise n'apprécient pas toujours les manières de
ce cow-boy sympathique et rigolard. Pour fêter ses
quarante ans, Charles, comme un clin d'œil à ses amis
australiens qui ont l'habitude de donner des noms « clin-
quants » à leurs cuvées, n'hésita pas à appeler « Mes
couilles en or » et « Les couilles de mon chien » (en
français dans le texte) ses deux dernières productions.

Pourtant, Charles sent qu'il ne restera pas toute sa vie
ici. « Je repartirai sans doute, peut-être en Amérique du
Sud. Ou ailleurs. Je préfère finir ma vie comme "papy
surfeur" en Australie que vieillir en discutant du bon
vieux temps avec les vignerons du Périgord. »

Comment Prudence Lemée aurait-elle pu se douter, ce
soir de l'hiver 1994, en retrouvant une amie à Soho,
qu'elle ferait un jour partie de cette génération de viticulteurs anglais qui assure le prestige des vins français ?

Étudiante en lettres à Cambridge, elle a vingt-trois
ans, un *boyfriend* et des petits boulots. Son amie lui parle
de l'annonce qu'elle a lue dans un journal : un propriétaire du Périgord, cherche une personne « de confiance »
pour garder sa maison d'Issigeac pendant l'hiver. Prudence,
qui porte bien mal son prénom, ne peut résister à l'appel
du large. Elle plante Cambridge, les études de lettres et le
copain pour Issigeac.

Là, elle garde la maison et renoue avec les petits
travaux : plongeuse, serveuse dans un routier, couvreuse.
Prouvant une fois encore l'influence bénéfique de la
cueillette du raisin sur les mariages mixtes, c'est au

cours des vendanges 1994 qu'elle rencontre son futur mari. Gaël Lemée est propriétaire de vignes. À cette époque, il se contente de vendre son raisin.

Pendant dix ans, le couple continue de travailler la vigne. « C'était désolant, confie aujourd'hui Gaël, de n'être que des marchands de raisin, de ne pas avoir le goût de notre propre vin. » Progressivement, ils se forment sur le tas, demandant conseil à des amis.

En 2003, ils se lancent dans la bagarre et peuvent enfin produire leur vin. Le Gavarliac est né. Des rouges et des blancs fruités. Un rosé et un monbazillac vont suivre en 2005. Les temps ne sont pas toujours faciles, mais leur passion commune les aide à tenir bon et la qualité de leur production commence à s'imposer.

Si Gaël admet que la nationalité de sa femme leur permet de mieux aborder la clientèle britannique, en France comme en Angleterre, il ne tarit pas d'éloges sur le « goût » de Prudence en matière de vin. « Un goût de femme, plus fin, plus élaboré. Comme dans la vie. »

Prudence qui fait aussi des traductions pour améliorer ses fins de mois a pris la nationalité française et vote à chaque élection. « J'aurais sûrement beaucoup de mal si je devais retourner en Angleterre », avoue-t-elle. Ce qu'elle aime particulièrement en France ? Elle rit : « Le rituel autour des repas. C'est formidable, cette préparation, cette prévoyance, ce plaisir de se retrouver. » Elle se moque gentiment de certaines habitudes françaises. Comme les formules de politesse dans le courrier. « Ah, ces "je vous prie d'agréer" ou ces "veuillez accepter l'expression de mes sentiments distingués". » Regrets aussi, parfois, de ne pouvoir chanter à ses deux enfants,

Gabriel, quatre ans et Marguerite, six ans, les vieilles comptines de son enfance. Ils ne les comprendraient pas.

La jeune femme déplore également l'afflux de ses compatriotes dans la région. « L'été, à Issigeac on a du mal à entendre parler français. C'est peut-être égoïste ce que je dis, comme si j'étais seule à avoir le droit de vivre ici. Mais, enfin, pourquoi tout le monde dans le même panier ? »

« Je ne pourrais pas dire qu'il y a trop d'étrangers ici, mais j'ai quand même un peu peur de voir la culture française se diluer du fait de la mondialisation », ajoute comme en écho Gabriel Breen, un Irlandais installé depuis une vingtaine d'années dans un village situé à quelques kilomètres de là. Ce négociant en vins, s'il reconnaît gagner beaucoup moins d'argent qu'à l'époque où il travaillait dans l'informatique, estime sa vie d'aujourd'hui « bien plus agréable : ici, c'est comme l'Irlande d'il y a vingt-cinq ans ».

« Je me sens chez moi », dit Gabriel. Nous le croyons aisément. Un homme qui, au fil de la conversation, dit – moitié sérieux, moitié goguenard – que « la vie est trop courte pour ne boire que du vin de table », un homme comme cela ne peut être foncièrement... anglais.

Chapitre 10

Magret de canard tendance pickles

Ne dites surtout pas du mal des Anglais à Jean Rolland, le patron de *L'Imparfait*, il pourrait vous en coûter ! D'autant que le personnage en impose, avec son mètre quatre-vingt-dix et ses cent deux kilos, un beau bébé comme on dit ici. Reconnaissance du ventre à l'égard d'une communauté qui lui fournit une bonne partie de sa clientèle ? Pas seulement. Rolland, « qui tient Curnonsky pour Dieu et Rabelais pour le petit Jésus [1] », et dont le père, meilleur ouvrier de France en 1952, avait fondé *Le Vieux Port* à Poitiers, a une dette d'honneur à respecter. Sans l'aide de certains Anglais établis ici, son restaurant, par ailleurs considéré comme le meilleur de la région, n'existerait plus.

---

1. *Vins et Gastronomie, Tourisme international*, juin-juillet 2004.

« Il y a environ cinq ans, raconte-t-il, je ne parvenais plus à faire face aux échéances. Un jour, alors que j'étais à la veille de fermer définitivement, six Anglais, installés dans la région, que je connaissais pour la plupart, s'installent pour déjeuner. L'un d'entre eux, Chris Chapman, me dit discrètement : "Il paraît que tu as des problèmes, viens nous voir après le repas, on pourra en parler". »

Avec William Boyd et quelques autres, Chris Chapman fait partie des « stars » de la communauté anglaise du Périgord. Le 10 juillet 2001, à la suite d'un pari avec Daniel Guarrigue, le maire de la ville, n'a-t-il pas réussi à faire venir Elton John en personne à Bergerac pour un concert resté dans toutes les mémoires ? Propriétaire de plusieurs compagnies d'aviation, ayant des bureaux dans le monde entier, Chapman s'occupe notamment des tournées de nombreux musiciens. Lorsque nous l'avons rencontré à Beaumont, il a été ainsi interrompu plusieurs fois par Bono – oui, le Bono de U2 ! – en rade d'avion à Los Angeles. Grand, le crâne rasé, en jeans et tee-shirt, son petit collier de barbe blanche donne une allure de pirate à cet homme placide qui semble ne rien aimer tant dans la vie que boire un verre avec ses amis au bistrot de la place de Beaumont.

« Après le service, poursuit Jean Rolland, Chris me demande sans tourner autour du pot : "combien il te faut ?" Je lui donne un chiffre. Il me répond simplement : "eh bien, tu n'as plus de problème". *L'Imparfait* était sauvé ! » Belle histoire.

Trop belle histoire. Le pire pour l'orgueil national ou régional est que l'homme d'affaires britannique et ses amis n'ont pas racheté le restaurant pour réaliser un profit, mais pour sauver un établissement qu'ils considéraient comme faisant partie du patrimoine local ! Pour leur plaisir aussi. « Nous sommes des franglais, nous vivons ici et ne voulons pas que des endroits comme celui-ci disparaissent », ont-ils confié à Jean Rolland.

Dans un état proche de la béatitude grâce au « ragoût de foie gras de canard et de langoustines aux petits légumes » ou aux « queues de langoustines au beurre d'orange et de gingembre avec ses crépiaux de topinambour », les clients britanniques de *L'Imparfait* s'épanchent souvent auprès du maître des lieux auquel ils confient leur amour inconsidéré pour la France. « Nous ne sommes pas uniquement venus pour acheter des maisons, mais pour vivre d'une autre façon. »

On comprend alors que la République reconnaissante ait fait Jean Rolland chevalier dans l'Ordre national du Mérite. À quand la Victoria Cross ? Le site Internet de *L'Imparfait* ne précise-t-il pas que le restaurant a accueilli « de nombreuses personnalités : les familles royales d'Angleterre, Belgique et Danemark, Pierre Bellemare, et bien d'autres ».

Difficile dans ces conditions pour Jean Rolland de ne pas défendre bec et ongles la présence des Britanniques dans la région. « Nous avons beaucoup de chance d'avoir ici des gens qui ne sont pas venus pour nous coloniser, mais pour apprendre et qui sont devenus des gastronomes, presque de vrais rabelaisiens, qui apprécient la cuisine et aiment à en parler. Ils sont avides de découvertes, ils veulent comprendre, et tout goûter : même les huîtres chaudes. Ils nous initient aussi à ces goûts épicés venus d'Asie. » Et, pour le plaisir de ses amis d'outre-Manche, le chef a ressorti de derrière les fagots un vieux légume du Périgord, tombé en désuétude, le panais, une sorte de carotte blanche, dont le goût, proche de celui du salsifis, enchante les palais anglo-saxons.

Pas de doute, Jean Rolland, qui a choisi comme devise pour son restaurant « la tête dans le ciel et le cœur dans les étoiles », est un poète. Et, comme tous les poètes, tout lui sera pardonné. Même sa connivence avec l'ennemi héréditaire.

Mais, rétorquera-t-il, le sauvetage de *L'Imparfait* par les envahisseurs ne consacre-t-il pas la victoire par KO de la cuisine française sur son homologue, si l'on ose dire, britannique? Sinon, pourquoi ses bienfaiteurs n'auraient-ils pas créé un restaurant anglais à Bergerac?

Question illustrée par ce dialogue entendu dans un café de Lalinde :

– Un paysan : « Ces Anglais, ils sont venus avec leur langue, leurs artisans, leurs meubles, leurs clubs, leurs manières de vivre et, leurs animaux. S'ils n'ont pas emmené leur cuisine, c'est bien parce qu'ils n'en ont pas ! »

– Son vis-à-vis : « Eh oui, pourquoi n'ont-ils pas ouvert un restaurant où on mangerait leurs spécialités ? À propos, c'est quoi leurs spécialités ? »

Pour étayer plus sérieusement cette thèse de la défaite en rase campagne de la cuisine anglaise, encore faudrait-il qu'une police des bonnes vies et mœurs puisse pénétrer dans l'intimité des ménages et vérifier si nos Britanniques ont effectivement rompu avec leurs habitudes alimentaires. Faut-il la croire, cette respectable veuve, « périgourdine » depuis plus de vingt ans, quand elle vous confie, étonnée elle-même par cette trahison de ses racines : « J'ai même oublié comment on fait des rôtis à l'anglaise, quand je veux en cuisiner pour des amis, je dois lire la recette. »

Et que penser de cette jeune artiste, installée de fraîche date à Eymet, qui jure ses grands dieux qu'à part le *Christmas pudding* qu'elle partage d'ailleurs avec ses voisines françaises, elle ne prépare plus que des plats de la région ?

Certes. Mais alors, pourquoi trouve-t-on dans l'immense majorité des demeures anglaises, ces produits si typiquement britanniques qui, jusqu'à présent, n'entrent pas dans la composition du magret de canard ou de l'omelette aux cèpes ?

Pourquoi, aussi, ces rayons de mieux en mieux achalandés consacrés aux produits *british* dans tous les supermarchés de la région ?

Pourquoi, et pour qui, ces nombreuses annonces publiées dans les journaux anglais du type de celle-ci :

« Vous manquez de vos produits britanniques favoris ? Ou peut-être de votre nourriture anglaise, galloise, écossaise ou irlandaise, favorite ?

Le meilleur choix de produits britanniques sur le marché. Une large sélection d'épicerie britannique, bacon, fromage. Un grand choix de produits surgelés : « *sausages* », « *crumpets* » (sorte de crêpes épaisses).

Vous pouvez aussi acheter du véritable pain de mie anglais.

Tous nos produits sont importés directement du Royaume-Uni.

Nous avons maintenant dix magasins en France. »

Nous savons, par certains de nos correspondants particulièrement zélés, qu'un certain habitant d'un village du Périgord part tous les mois en Angleterre faire ses provisions de produits anglais. « Une des pièces de la maison du susmentionné, poursuivent nos amis, uniquement consacrée à stocker les marchandises illicites, ressemble à un stand de supermarché. »

Kevin Walls, plus franc, ne veut pas de cette gastronomie des caves. C'est au grand jour que ce célibataire flegmatique, qui ne parle pas un mot de français, a ouvert l'épicerie anglaise d'Eymet. Faut-il aussi le croire quand il dit adorer la culture et la cuisine françaises, lui qui vend de l'*Angel Delight*, du *Lemon Curd*, de la moutarde *Colman*, et des saucisses *Cumberland* ? Et que penser de ces « Français de souche » qui viennent s'approvisionner chez lui : font-ils cette démarche vers l'« autre », guidés par un souci de fraternité œcuménique ou poussés par une inquiétante pulsion masochiste ?

Un autre dossier mérite d'être ouvert : celui de la cuisine des anciennes colonies de l'Empire britannique. À Lauzun, à quelques kilomètres d'Eymet, dans une petite rue bien cachée des regards inquisiteurs, des Anglais ont ainsi ouvert *La Reine Rouge*, un restaurant indien. Et le pub, sur la place centrale d'Eymet, propose un curry toutes les semaines. Faudra-t-il bientôt descendre dans la rue pour défendre notre couscous ?

Faudra-t-il aussi envisager de demander, au nom de la protection de l'enfance, d'interdire tout simplement l'importation en France du produit ci-nommé *Marmite*, mélange infâme d'extrait de levure, que certains parents britanniques donnent encore à leurs enfants ? Ces derniers adorent d'ailleurs cette mixture au goût de médicament et de poisson pourri, ce qui ferait craindre l'existence de quelque différence génétique entre Anglais et Français.

Mais à chacun son mauvais goût. Astride Adams, cette « aideuse d'Anglais » du Perche, se souvient de la stupéfaction de ses premiers clients lorsqu'elle leur offrait, en cadeau de bienvenue, du boudin noir, parmi d'autres spécialités de la région. « Il est difficile pour un Anglais, explique-t-elle, de regarder sans dégoût la devanture d'une charcuterie. » Et la charmante Franco-Allemande de citer avec une cruelle délectation : « les andouillettes, les foies de veau, les langues, les tripes, les cervelles... »

Janice Moody, elle, a définitivement choisi son camp. « Après quatorze ans passés en France, je mange comme une Française. Quand je rends visite à ma famille en Angleterre, je trouve leur manière de manger insupportable. Les plats n'ont pas de goût et ils mangent tous tellement vite. Au moins, les Français prennent leur temps. Le repas, pour eux, c'est une occasion vénérable. » Un peu trop vénérable, peut-être. « J'aime beaucoup inviter mes copains français à déjeuner, ajoute Janice en riant, mais ils ont souvent tendance à ne pas quitter la maison. Si je les invite à midi, ils sont encore là à sept heures du soir. Comme s'ils attendaient quelque chose. Nous, Anglais, nous ne sommes pas habitués à cela. »

Admirons enfin la douce franchise de Rosemary Bamberger qui, après avoir reconnu la supériorité de la cuisine française, avoue se passer difficilement de quelques denrées introuvables ici. Et de nous montrer, délicatement sortis de son garde-manger, la crème anglaise au lait, le sirop de sucre *Lyles Golden Syrup* et les *pickles*.

« Mais, attention, nous pouvons survivre sans ces produits », affirme Rosemary dans un délicieux sourire.

La bouffe, même pour un Anglais, c'est ce qui reste quand on a tout oublié.

CHAPITRE 11

Merci, Mister Ferry (Jules)

Une école comme on en rêve, avec ses murs blancs et ses portes bleues, sa grande cour lumineuse, ses classes riantes, décorées de dessins d'enfants. Une école des *Contes du lundi* ou du *Grand Meaulnes*, de galoches et de tabliers. En fermant les yeux quelques secondes et en laissant vagabonder son imagination, on pourrait presque voir Bernard Blier emmener ses « grands » passer le « certif » à la ville voisine.

C'est l'école du Pont de Juillet, à Eymet. En la voyant, on comprend mieux pourquoi la qualité et la gratuité du système scolaire français figurent parmi les raisons souvent avancées par les Anglais pour expliquer leur installation en France. Toute jeune et tout sourire, l'institutrice explique : « Quand les Anglais arrivent, ils pensent que, comme chez eux, l'école privée est bien supérieure.

117

Et puis ils sont surpris par la qualité de la pédagogie dispensée dans les écoles publiques et changent d'avis. »

Ici, douze élèves sur cent sept sont britanniques. Parlent-ils français ? « Il y a certains mots que je ne pige pas », répond Caroline, jolie Irlandaise de treize ans, avec l'assurance élégante de la parfaite bilingue qu'elle est devenue. « Et pourtant, à son arrivée, il y a trois ans, se souvient l'institutrice, elle était repliée sur elle-même et ne voulait pas dire un mot ! » Aujourd'hui, elle sert d'interprète à ses petits camarades moins doués ou moins motivés. La différence entre « ici et là-bas » ? « Là bas, il y a plus de verdure, plus de fermes. » Si ses parents, qui ont la bougeotte, prévoient de partir plus au sud et de s'installer bientôt en Espagne, Caroline semble moins disposée à quitter le Périgord. « Moi, je reviendrai ici, car c'est ici que j'ai tous mes amis. » Et, plus tard ? « Je veux devenir interprète professionnelle. »

D'autres ont plus de mal à s'intégrer. « Souvent, explique l'institutrice, leurs parents leur ont fait croire qu'ils allaient bientôt rentrer chez eux. Alors, ils se sentent toujours en vacances, se considèrent un peu comme des touristes et ne font pas d'efforts. » « J'en ai connu certains qui en voulaient beaucoup à leurs parents, auxquels ils reprochaient de les avoir obligés à quitter leur école en Angleterre, leurs amis », confirme Sally Jarron, dont le travail consiste aussi à assister les mères des enfants anglais. « Ne maîtrisant pas le français, beaucoup d'entre elles ne peuvent pas les aider à faire leurs devoirs. Elles s'en trouvent désemparées. »

Vivant aujourd'hui à Paris, Susan, vingt-huit ans, n'a pas de très bons souvenirs de son arrivée en Charente avec ses parents en 1991. « J'avais treize ans à l'époque, ce n'est peut-être pas l'âge idéal pour déraciner une adolescente. » Elle se souvient surtout de sa grande solitude. « À l'école, les filles étaient sympas, elles voulaient être copines avec moi. Mais que faire quand vous ne parlez pas la même langue ? Elles m'ont vite laissée tomber. Même chose pour les profs. Ils n'ont pas toujours le temps de s'occuper de vous. » Après le collège à Angoulême puis la fac à Poitiers, Susan, qui travaille maintenant dans une compagnie d'assurances, est parfaitement intégrée en France. « Au bout de dix-sept ans passés ici, je n'ai plus vraiment envie de rentrer en Angleterre. Peut-être à cause de ce perpétuel esprit de compétition. C'est trop. Un exemple : si une fille a trouvé une fringue pas cher, elle ne va sûrement pas le dire. Au contraire, elle va se vanter de l'avoir payée bien plus. »

Quand ils arrivent plus jeunes, les petits Anglais parlent vite mieux le français que leurs parents. « Ils en sont très fiers, confie l'institutrice, ils sont très contents de servir parfois d'interprète à leur famille et de pouvoir les reprendre : "Mais non, papa, ce n'est pas comme ça qu'on prononce ce mot". »

Née en France de parents anglais, India est le prototype de cette génération de jeunes « Franglais ». Elle a un passeport anglais, parle anglais chez elle avec ses parents, regarde la télévision anglaise. Et pourtant, ici, tout le monde la prend, aussi, pour une fille « qui se comporte comme une Française, parle comme une Française, chante comme une Française ». « Pour elle, explique une de ses amies, l'Angleterre c'est le pays où habitent ses cousins. Elle est allée voir Big Ben, la statue de King Albert à Winchester. Elle connaît le nom de la reine. Et c'est à peu près tout. » Quand on demande à

India si elle est française ou anglaise, elle répond tout naturellement : « moitié-moitié ».

Beaucoup d'écoliers d'Eymet affirment d'ailleurs n'avoir aucune envie de repartir. « Même si les gens parlent une autre langue et que nous passons plus de temps à l'école qu'en Angleterre, ici, c'est mieux », résume Anabella qui veut devenir « athlète professionnelle, et dans une équipe française ».

Paradoxal : en ces temps où les Français s'interrogent sur l'échec de leur modèle d'intégration, il faut venir à Eymet et parler avec les élèves britanniques de l'école du Pont de Juillet pour trouver un exemple du « creuset républicain ». Où peut-on encore voir côte à côte la fille d'un banquier et le fils d'un maçon ?

Professeur des écoles, Bruno Arfeuille, a été détaché par l'académie de Bordeaux pour s'occuper, avec un de ses collègues, des élèves anglais débarquant dans les écoles de Dordogne. Aujourd'hui, il est à Thonac, un petit village, situé à une dizaine de kilomètres de Montignac. Sur les quarante élèves, trois sont anglais, de la même famille. « Comme pour tous les non-francophones, les premiers jours de la rentrée sont toujours durs, explique Bruno Arfeuille, les enfants ne parlent pas un mot de français, ne connaissent personne et l'on en voit souvent pleurer, tout seuls, dans la cour. Très vite, ils se font des copains, se mettent à jouer au foot et à s'amuser. Puis ils sont invités aux anniversaires des uns et des autres. À Noël, ils sont déjà bien intégrés. Mais tout dépend, bien entendu, des enfants. Celui qui sera mal dans sa peau en Angleterre le sera tout autant en France. En général, il leur faut environ six mois pour être auto-nomes. Le problème, c'est que les parents arrivent souvent en plein milieu d'année, sans tenir compte de la rentrée des classes. »

Et d'ajouter : « Avec les Anglais, il n'y a pas de grandes différences culturelles, par exemple nous avons le même alphabet, et c'est important pour les enfants. » Des disparités dans le système éducatif ? « Oui, il y en a. Ici les horaires sont surchargés par rapport à l'Angleterre et les élèves font beaucoup plus de sport là-bas. »

« Ce brassage est formidable, conclut l'instituteur, et quel plaisir de voir ces tout petits Français rentrer chez eux et ânonner fièrement quelques mots d'anglais devant leurs parents ! »

« Cette cohabitation enrichit tous les enfants : découvrir les autres, leur langue, j'ai l'impression que cela les grandit », répond, comme en écho, Mme Geneviève Alemany, directrice de l'école privée d'Eymet, qui accueille aussi son lot de petits Anglais. Située tout près de la place centrale, l'école Notre-Dame fleure bon, elle aussi, la douceur de vivre, avec sa légère d'odeur d'encaustique.

Le discours est sensiblement le même que celui entendu chez les « sans Dieu » : les difficultés des premiers jours, le soutien aux élèves arrivés en cours d'année. Et, là encore, des filles beaucoup plus motivées : si Harry, dix ans, fait de la résistance – « moi, dit-il, je n'ai pas eu envie de venir en France » – et a longtemps refusé de parler français, sa sœur, Mégane, douze ans, insiste pour s'exprimer exclusivement dans notre langue. Loren, neuf ans, qui « aime la France, son école, ses copines », avoue, en rougissant, qu'elle parle de temps en temps anglais « pour dire des bêtises, des gros mots ».

À Notre-Dame, les enseignants sont apparemment plus rigoureux que leurs collègues du public quand il s'agit d'obliger les jeunes Britanniques à utiliser la langue de Molière. « C'est du moins ce que pensent certains parents qui ont retiré leurs enfants de l'école communale pour les mettre chez nous, explique la directrice, certains me précisent même : "je ne veux pas qu'ils parlent anglais en récréation" [1]. »

Quant à l'attitude des petits Français par rapport à leurs camarades britanniques, « elle dépend beaucoup de celle de leurs parents. Lorsqu'un enfant lance à un élève anglais : "Ici, tu es en France, tu n'as qu'à comprendre", on peut imaginer ce que ses parents disent de la présence britannique dans la région ».

Retour à l'école publique. Jack et Charly, sept ans, des jumeaux rigolards, déjà costauds comme des piliers de rugby, ne semblent pas encore avoir de plan de carrière. Ils n'ont qu'une envie, s'amuser, même au détriment du journaliste de passage.

« Moi, j'aime la France, dit Jack.
– Pourquoi ?
– Parce qu'il fait chaud !
– Et toi, Charly ?
– Moi, j'aime pas la France !

---

1. Loin de nous l'idée de jouer les « cafteurs », mais ce jour-là, dans le joyeux brouhaha de la cour de récréation de Notre-Dame, il était impossible de ne pas entendre quelques expressions typiquement anglaises.

– Et, pourquoi ?

– Eh bien, parce qu'il fait chaud ! »

Et les deux diables de partir en pouffant de rire.

De la graine de ceux qui nous battent (parfois) au rugby.

CHAPITRE 12

De si gentils malades

« Sur les avenues des grandes villes comme dans les ruelles des villages, on ne voit qu'elles », s'émerveille John, un ancien professeur de Liverpool rencontré à Sarlat. « Elles sont toujours les plus soignées, les plus modernes, les plus accueillantes », ajoute Elisabeth, une Londonienne exilée à Bergerac. « Et puis, quel service : précis, poli, rapide », renchérit Glenn, un artisan irlandais vivant près de Beaumont.

Elles ? Nos pharmacies, tout simplement. Oui, les bonnes vieilles officines de nos bons vieux potards, transformées, grâce aux contributions de la nation tout entière et à un déficit record de la Sécurité sociale, en vitrines de la France qui gagne. C'est vrai qu'elles ont maintenant fière allure, avec leurs étalages remplis de produits de beauté, leurs vendeuses en blouses blanches se servant sans vergogne sur votre carte Vitale. Et nos pharmaciens élégants, si loin de Monsieur Homais.

Bref, les Anglais aiment nos apothicaires.

Et nos apothicaires aiment les Anglais.

« Des gens charmants, même s'ils ne font pas beaucoup d'efforts pour parler notre langue », juge Mireille Vial, pharmacienne à Sarlat. Cette parfaite bilingue doit vérifier que son personnel se débrouille dans la langue de Shakespeare. Surtout les vendeuses, qui sont en relation directe avec les clients. En cas d'incompréhension et pour ne pas faire d'erreurs, un logiciel spécial est intégré à l'ordinateur de la pharmacie. Grands amateurs de « parapharmacie » – ah, les savons Roger et Gallet ! –, les Anglais font aussi une grande consommation d'antihistaminiques. Très allergique, l'Anglais, surtout au moment des foins !

Ce ne sont pas seulement nos pharmacies que les Britanniques plébiscitent, mais l'ensemble du système de santé « à la française ». Avec, comme conséquence inattendue, de reformer l'Union sacrée de ce côté de la Manche. « Nous ne voulons pas d'un système de santé à l'anglaise », disent tous les Français, unis pour l'occasion. Mais sans s'interroger sur les causes du délabrement de ce système : socialisation excessive ? Secteur privé incontrôlable ?

Comble du paradoxe : alors que les chirurgiens français s'expatrient en Angleterre, les patients, eux, font le chemin inverse et viennent se faire soigner en France. Ainsi de John, psychiatre renommé et jouissant d'une belle clientèle, qui, devant l'impossibilité de payer les frais médicaux de son fils, atteint d'une maladie rare, a décidé avec son épouse Mary de quitter Londres pour la banlieue lyonnaise. Ou de Susan Bathie, une Écossaise installée depuis 2004 à Saint-Junien-les-Combes, dans la Haute-Vienne, qui considère le système médical français comme «un des meilleurs d'Europe». «Ici, explique-t-elle, tout est plus rapide et on peut choisir son docteur.»

Infirmier et professeur à Liverpool, Chris Jones, a visité à plusieurs reprises des hôpitaux français. «J'y ai été frappé par la qualité du service, raconte-t-il, notamment par la propreté des salles, la rapidité des soins et le professionnalisme des infirmières. Au service de réanimation du Centre hospitalier universitaire de Bordeaux, j'ai ainsi été très impressionné de voir, qu'ici, les malades en réanimation sont séparés les uns des autres et placés dans des box fermés, que je qualifierais presque de chambres. En Angleterre, les patients sont regroupés dans des grandes salles, leurs lits séparés par des draps suspendus, ce qui ne favorise pas l'intimité.»

Cela suffit-il à convaincre les Anglais de se faire soigner en France? Faut-il croire Louis Sanders [1], quand il fait dire à un médecin: «Les Anglais ne sont jamais malades. De tous ceux qui vivent ici, les seuls qui sont venus [me consulter] avaient des trucs vraiment graves. Ils ont tendance à se dire que si ce n'est pas grave, ça s'arrangera tout seul et si c'est grave, il n'y a rien à faire.»

Les temps changent: l'Anglais «consulte». Comme un vulgaire Français. Un petit peu moins quand même.

---

1. Louis Sanders, *Février*, Rivages/Noir. Installé en Dordogne, marié à une Anglaise, Louis Sanders a écrit plusieurs romans noirs mettant en scène avec une gourmandise acidulée cette microsociété anglo-périgourdine. Un régal.

« J'ai l'impression qu'ils ont une crainte par rapport aux médicaments, une sorte de fuite », explique Christine Subtil, psychothérapeute à Sarlat. « Lorsque mon mari est tombé malade, raconte Dany Harris, la dame aux trente chiens, il a tout de suite demandé au médecin de limiter la prescription de médicaments. Il ne voulait pas être comme beaucoup de nos amis français, dont nous nous moquions gentiment, qui, avant de commencer leur repas, alignent à côté de leur verre la litanie des petites pilules de toutes les couleurs qu'ils vont avaler avec le sérieux d'un premier communiant. »

Un autre médecin établi dans la région évoquera les conséquences de la propension des Britanniques à confondre le vin de Bergerac avec l'eau de source : « L'Anglais vient faire sa pancréatique aiguë dans le Périgord. »

« Pour l'instant, moi ça va, je suis encore en bonne santé », répond Martin Forst quand il est interrogé sur ses compatriotes se faisant soigner en France. Manière élégante, et très britannique, de dire que ce n'est pas la première fois qu'il doit répondre à de telles questions. Installé à Limoges depuis 1990, ce responsable de l'antenne régionale de la Commission européenne peut être cité comme l'exemple le plus accompli de l'intégration réussie. Cet homme de quarante-cinq ans parle un français parfait, sans aucun accent si ce n'est celui du Sud-Ouest, siège au conseil municipal et participe à toutes les réunions de parents d'élèves. Sûr qu'il se délecte aussi de cuisses de grenouilles, rêve de devenir président d'une association de joueurs de pétanque et envisage de fumer des Gauloises bleues.

Il distingue trois catégories de patients. D'abord, « les touristes à qui il arrive un pépin ». « Pour eux, le système s'est amélioré progressivement : ils peuvent se faire soigner en France sans sortir trop d'argent de leurs poches. » Ensuite, les personnes établies à demeure et qui sont intégrées au système français d'assurance maladie. « Leur problème est d'ordre culturel. Elles mettent du temps à s'habituer tant les politiques des deux pays sont différentes en la matière. » Troisième catégorie : tous ceux qui n'ont aucune attache en France et viennent dans l'Hexagone uniquement pour se faire soigner. « Même s'il s'est amélioré depuis dix ans, le système anglais est bien moins performant. Il est surtout beaucoup plus lent. Une opération qui peut se faire dans les quinze jours en France nécessite parfois deux à trois ans d'attente en Angleterre. »

Le prix entre aussi en considération. Pour une prothèse de la hanche – une des opérations, avec le traitement de la cataracte, pour laquelle les Anglais choisissent le plus souvent la France –, la facture peut s'élever à 6 500 euros en France contre 12 000 euros outre-Manche.

Chirurgien-dentiste à Bergerac, J.-C. Rivoire estime que les patients anglophones représentent 20 % de sa clientèle « en volume » et 30 % « en chiffre d'affaires ». « Les besoins de traitements dentaires des Britanniques, explique-t-il, sont souvent importants et, s'agissant de traitements parfois optionnels, esthétiques par exemple, traditionnellement mal remboursés, leur pouvoir d'achat leur permet d'y accéder [2]. »

---

2. *Tout sur le désenclavement aérien, réponse aux questions, op. cit.*

Pour Martin Forst, l'accueil des patients anglais dépend aussi de la volonté politique de la région. Et de vanter le Limousin où de grands efforts sont faits pour faciliter l'arrivée de ces émigrants, qui donnent un sérieux coup de fouet économique à la région.

La langue aussi pose problème. Claude Duneton [3] évoque un de ses amis médecin se trouvant « confronté parfois à des consultations d'urgence qu'il conduit en mime, avec beaucoup de talent mais qui le laissent perplexe, car là encore, le mime est un art distinct du sien ». Cas de conscience lorsque ce même docteur dut examiner une patiente britannique anglaise pour laquelle il lui aurait fallu procéder à un « toucher vaginal ». « Seulement, écrit Duneton, allez expliquer à une patiente anglaise, de surcroît souffrante, ce que signifie concrètement un toucher vaginal. Même le mime Marceau se sentirait empêché. » D'où des stages de langue accélérés permettant aux médecins du Sud-Ouest de soigner leurs patients anglais sans passer par le cours Florent.

Magnanimes, nous regardons avec un rien de charité et beaucoup de condescendance, ces pauvres Anglais venir se faire soigner en France comme de vulgaires assistés. Même si cela contribue à creuser encore le trou de notre Sécurité sociale. Ne soyons pas pusillanimes : quand on aime, on ne compte pas.

Certains se demandent quand même si certains Britanniques ne profitent pas un peu trop de nos largesses. En Dordogne, deux mille cinq cents d'entre eux bénéficient

---

3. *Le Figaro* du 5 novembre 2005.

de la Couverture maladie universelle (CMU). Apparemment en toute légalité, puisqu'ils payent une cotisation. On murmure pourtant que certains fraudeurs se seraient peut-être glissés dans le lot.

Voilà même, humiliation suprême, que des équipes de Médecins du Monde, ces *french doctors* qui se sont illustrés dans les pays du tiers-monde ravagés par la misère ou les guerres, ont projeté d'installer une de leurs antennes dans un des quartiers les plus défavorisés de Londres !

Voilà enfin que dans ce domaine de l'assistance à Anglais en péril, nous commençons à être concurrencés par les pays d'Europe centrale. Après le plombier polonais, le dentiste hongrois ! Et de plus en plus de Britanniques commencent à se laisser séduire par les annonces leur proposant « une semaine à Budapest, les charmes de la vieille ville, les bains de l'hôtel Gellert, et une remise à neuf de votre dentition ».

Si cette concurrence déloyale continue, il ne faudra pas s'étonner de voir les rues de nos villes remplies de manifestants réclamant sur l'air des lampions :

« Rendez-nous nos malades anglais. »

CHAPITRE 13

Leurs amies les bêtes

Si un homme se réjouit de l'arrivée en masse des Anglais dans le Périgord, c'est bien Christian Carrard. Vétérinaire de son état, cet homme souriant préside aux destinées de l'antenne de Bergerac de la Société protectrice des animaux. « Les Anglais, explique-t-il, nous aident beaucoup, notamment le club des dames qui chaque année nous reverse une partie des gains de sa tombola. Ils ont aussi participé très directement à la prise en charge de chiens abandonnés ou de chevaux maltraités. »

« Même si les Français font des progrès, les Anglais ont quand même pas mal d'années d'avance en ce qui concerne leur rapport avec les animaux », précise le vétérinaire. En premier lieu, ils sont plus près de leurs bêtes. « Ils les nourrissent bien, les dressent plus tôt. Ainsi, j'ai très peu de problèmes avec les chiens anglais. Ils sont très obéissants. »

En revanche, Christian Carrard juge les Britanniques « moins jusqu'au-boutistes, plus pragmatiques » que nous en cas de maladie incurable de leurs animaux. « Les Français, eux, hésitent souvent à arrêter les souffrances de leurs bêtes. »

Il s'amuse par ailleurs de voir « ses » Anglais râler chaque fois qu'ils veulent aller en Angleterre avec leurs compagnons. Depuis juillet 2004, les propriétaires d'animaux domestiques peuvent se déplacer facilement d'un bout à l'autre de l'Union européenne, grâce notamment à un passeport attribué aux chiens, chats et furets, prouvant qu'ils ont été vaccinés contre la rage. Partout, sauf en Suède, en Irlande et au Royaume-Uni. « Les Anglais doivent donc venir chez moi pour leur faire des tests d'anticorps et aussi un traitement contre les tiques et les vers. Après cela, ils deviennent plus européens. »

Pas loin de là, à Montpon-Ménesterol, entre Périgueux et Libourne, Anthony Williams tempère les propos de son collègue. Pour lui, « la liberté de circulation totale des animaux n'est pas toujours un bien ». Ce vétérinaire de cinquante-neuf ans, arrivé du Pays de Galles en 1975, raconte : « Ma femme, française, bien que titulaire d'un doctorat d'anglais, a été un peu victime du chauvinisme des Gallois et n'a pu trouver de travail. Alors, nous nous sommes installés ici. Mais, au début, comme les Français ne reconnaissaient pas mon diplôme, je suis devenu paysan et j'ai tenu une exploitation agricole pendant trois ans. »

En 1978, il peut enfin s'établir. « Je ne parlais pas bien français, mais j'ai l'impression que cela n'a pas porté préjudice à mon image de marque. Au contraire même : j'étais "le" veto anglais. » « Quant à mes compatriotes, ajoute-t-il, c'est normal qu'ils viennent me consulter, surtout ceux qui se débrouillent mal avec votre langue. Ils peuvent mieux m'expliquer ce qui ne va pas avec leur animal. »

« Il y a vingt ans, explique-t-il, la différence de comportement des Français et des Anglais à l'égard des animaux était bien plus importante qu'aujourd'hui. C'est simple : plus on est éloigné des animaux de ferme, plus on a besoin d'animaux de compagnie. Or, à l'époque, la France était encore très rurale. Même les gens qui habitaient dans les villes rendaient visite le dimanche à leurs parents, ou leurs grands-parents, qui habitaient à la campagne. Le rapport aux bêtes était tout autre qu'en Grande-Bretagne, où l'agriculture avait pratiquement disparu. Pour caricaturer, on disait que le Français, si son chat était malade, se contentait de lui donner un demi-cachet d'aspirine. Aujourd'hui, la situation a bien évolué et les animaux en France sont aussi médicalisés. »

Pour Anthony Williams, les différences ne se sont toutefois pas complètement estompées. « Un Anglais considèrera toujours un peu son chat ou son chien comme l'enfant de la maison. Les Français n'en sont pas encore là, même si je constate parfois qu'ils y viennent au galop. » Les Périgourdins sont tantôt attendris, tantôt irrités, par la manière dont les Anglais cajolent leurs animaux. Témoin cette réflexion d'un enfant d'Issigeac entendant une Anglaise d'un certain âge parler tendrement à son chien : « Le chien aussi, il parle anglais. »

Dany Harris, qui a sauvé plus de cent vingt chiens, commence par un constat lucide : « Ici, comme ailleurs, il y a tellement de misère pour les animaux. Mais, on ne peut pas dire que les Français soient plus cruels que les Anglais. » « Vous voyez ce chien, dit-elle en montrant "Rambo", son dernier pensionnaire, il était dans une famille anglaise, enfermé dans un bâtiment au fond du jardin, avec de l'eau une seule fois par semaine. » Dany introduit cependant une nuance : « En France, il n'y a souvent pas de milieu : soit on chouchoute trop le chien, comme ces dames qui affublent leur caniche d'un manteau ridicule et le font asseoir dans leur Caddie au supermarché. Soit ils sont cantonnés dans un simple rôle de chien de garde. » Autre critique : « Les Français donnent souvent des noms ridicules à leurs compagnons, comme "Crotte", "Poubelle" ou je ne sais trop quoi. » Aussi Dany débaptise-t-elle tous ceux qu'elle accueille et leur donne des noms « qui ont un peu de classe ».

Couché, sir Rambo !

CHAPITRE 14

Des affaires et du business

Difficile de trouver en Dordogne un commerçant qui se plaigne de l'envahisseur. Mis à part quelques irréductibles, ils se félicitent tous sans vergogne de l'arrivée inespérée de ces dizaines de milliers de consommateurs supplémentaires, à la bourse généralement bien garnie. Ainsi Pascal Perri, chercheur à l'université de Perpignan, estime à plus de deux cents millions d'euros les recettes générées pour la région, de 2002 à 2004, par la seule arrivée des passagers empruntant les *low cost*. Chaque visiteur, selon les experts, disposerait d'un budget moyen d'un peu plus de mille euros.

Les coiffeurs sont particulièrement « anglophiles ». « Nous avons une belle clientèle d'Anglais et d'Anglaises, des gens assez classiques », assure Franck Coudenne, patron d'un salon à Bergerac, qui en profite, au passage, pour tacler élégamment ses collègues britanniques.

« Franchement, quand ils arrivent, les coupes de nos clients ne sont vraiment pas terribles. Je comprends alors qu'ils profitent de leur passage pour venir chez nous. » Linda, employée au salon Jacques Dessange, est aussi enthousiaste : « Oh oui, ce sont des gens très agréables, et nous arrivons tant bien que mal à communiquer, chacun faisant un effort de son côté. Parfois, nous devons quand même nous servir d'un dictionnaire. »

Laetitia Lagrange, vendeuse dans un grand magasin de vêtements de Bergerac, n'a pas de problème de compréhension mais de fourniture. Explication : « Souvent, les Anglais ou les Anglaises veulent acheter un souvenir, un petit cadeau. Difficile, alors, de leur proposer des fringues fabriquées en Chine et couvertes d'inscriptions en anglais. Il faut donc dénicher le petit pull ou le chapeau bien français. »

Sylvie Tardy, propriétaire de *Michèle*, la boutique « chique » de Bergerac, « adore » les Anglais. « Ils sont charmants et ont beaucoup d'éducation. » Ancien mannequin, considérée comme « la plus belle femme de Bergerac », Sylvie connaît maintenant bien les goûts de ses clientes d'outre-Manche. « Elles sont très classiques, elles regarderont tout de suite les modèles de Christian Lacroix ou d'Armani plutôt que ceux de Sonia Rykiel. » « Je fais attention, ajoute-t-elle, à ne pas les choquer. Je ne me permettrais jamais de leur dire, comme à mes clientes françaises, qu'un pull "met en valeur leur poitrine", encore moins qu'une robe "leur fait de jolies fesses". Elles sont plus conventionnelles, presque démodées. Notamment quand elles viennent choisir la robe que leur fille devra porter pour un mariage ou une autre cérémonie. Là, c'est "limite religieux". » Qu'importe !

Les Anglaises ont une autre qualité, très appréciable : « Elles ne "rapignent" jamais sur les prix. »

Certaines préfèrent toutefois acheter leurs vêtements à Bordeaux ou Paris. Voire à Londres. « J'ai une copine qui prend régulièrement l'avion pour aller faire des week-ends de shopping à Londres. On voit la différence », glisse Janice Moody avec un rien de perfidie.

Comme beaucoup de ses compatriotes, celle-ci avoue aussi ne pas s'être habituée « à voir la quasi-totalité des magasins fermés entre midi et deux, voire trois heures ». « La semaine dernière, raconte-t-elle, je suis entrée dans un magasin à midi moins cinq. Au regard outré que la vendeuse m'a lancé, j'ai eu l'impression d'avoir commis une faute majeure. Elle m'a raccompagnée à la porte, sans même me demander ce que je voulais. »

Avec la cervelle, la poignée de main, Johnny Hallyday et Margaret Thatcher, les horaires des magasins restent un des points irréductibles d'incompréhension entre Français et Anglais. « Les heures d'ouverture de la boulangerie, écrit Julian Barnes dans *Outre-Manche*[1], étaient gravées sur le verre de la porte : 8 h-12 h, 16 h-19 h. Cela m'emplit de nostalgie, car c'étaient ces horaires démodés qui avaient été partout en vigueur lors de mes premières visites en France. Si vous n'aviez pas acheté vos provisions à midi, vous deviez vous serrer la ceinture, parce que chacun savait que dans un village français le charcutier doit fermer boutique pendant quatre heures pour coucher avec la femme du boulanger, le boulanger pendant quatre

---

1. Julien Barnes, *Outre-Manche*, Denoël, 1998.

heures aussi pour coucher avec la propriétaire de la quin-caillerie et ainsi de suite. »

« Ne touchez pas à notre pause de midi ! » : tel pourrait être un des slogans de la résistance à l'envahisseur tant les Périgourdins ont l'épiderme chatouillé dès que l'on s'en prend à cette sacro-sainte tradition. « Les Anglais, s'emporte un épicier, ne cessent de dire qu'ils admirent notre manière de vivre, qu'ils ont justement quitté leur pays pour avoir le temps de profiter des bonnes choses de la vie, comme déjeuner tranquillement à midi, et voilà qu'il faudrait se lever de table pour aller les servir. »

Pour certains experts, cette *french way of life* loin de décourager les investisseurs anglais, les pousserait même à s'installer chez nous. « Les businessmen du Royaume-Uni mélangent affaires et sentiments dès qu'il s'agit de l'Hexagone », estime un diplomate. Ce dernier ajoute que si la France représente aujourd'hui 25 % des inves-tissements britanniques en Europe et se place ainsi en première position, devant l'Irlande, ce serait certes « pour d'excellentes et pragmatiques raisons : importance du marché, qualité des infrastructures, excellente formation des salariés », mais aussi pour d'autres moins objectives. « Les critères ne sont pas toujours rationnels : un lien familial ou un voyage coup de cœur », constate aussi Jean-Noël Mermet, PDG d'un cabinet de conseil londo-nien spécialisé dans l'investissement des deux côtés de la Manche.

Britanniques et Français ont malgré tout une concep-tion bien différente de la vie économique et de l'entreprise : « La brutalité des rapports humains entre les employés est vraiment terrible, commente un cadre français ayant longtemps travaillé outre-Manche, le rapport de force est permanent. J'ai vu souvent des employés se vanter à haute voix du traquenard qu'ils avaient tendu à un collègue pour prendre sa place. En France, c'est beaucoup plus insidieux. Mais jamais aussi violent. Et puis les Français ne sacrifient pas tout à leur travail, ils pensent aussi à leur vie familiale. »

Bref, il ne faut pas confondre le brutal « business » et les douces « affaires ». « On dit déjeuner d'affaires et pas déjeuner de business », assénait ainsi, avec une certaine dose de mauvaise foi, un Périgourdin en colère.

Michel-Édouard Leclerc n'est pas d'accord : « La vérité, écrivait-il sur son blog, le 12 août 2005, c'est que l'Anglais par sa présence, nous renvoie, en miroir, l'image de notre inertie. Depuis trente ans dans ces régions, les élites (plutôt de gauche) ont entretenu une culture d'assistanat, voire de mendicité à l'égard de l'État, de la Région ou de l'Europe. Les Anglais aujourd'hui font revivre les villages. [...] Au fond, ce qui gêne les habitants ici c'est la leçon que nous administrent ces immigrants. Ils nous bottent les fesses. Ils montrent que la désertification n'est pas inéluctable et que la vie économique et culturelle ne dépend pas que des subsides de l'État. »

Affaires ou business, toujours est-il que près de quatre cents Britanniques, en majorité commerçants ou artisans, se sont implantés en Dordogne. Et le rythme s'accélère : soixante en 2004 contre seize par an au début des années 2000. Les autres départements suivent : la chambre de commerce de la Haute-Vienne a ainsi enregistré cinquante-deux créations d'entreprises britanniques en 2004.

Dean Moody a monté, il y a maintenant onze ans, une petite société d'informatique qui emploie aujourd'hui trois salariés. « J'ai commencé par m'occuper des ordinateurs des Anglais de la région et mon affaire a marché assez vite. Maintenant, j'ai aussi une clientèle française. » Tout va bien, alors ? « Pas vraiment, j'ai l'impression de beaucoup travailler juste pour me maintenir, de me battre non pas pour moi mais pour conserver mes trois employés. Le système français, avec toutes ses taxes, n'est pas très favorable à l'entrepreneur. En Angleterre, je gagnerais plus d'argent et j'aurais plus de droits. »

Certains sont moins critiques. Jeremy Josephs [2] évoque le cas de Paul Sephton, un plombier de quarante-sept ans, arrivé en 1973 dans le Sud de la France, qui, selon ses propres mots, a réussi grâce à son *« Englishness »*. « Les gens, poursuit-il, sont très contents d'avoir un plombier anglais. Cela sonne bien. J'ai un client qui raconte à ses amis qu'il a "le plombier de la reine". » Paul va même jusqu'à défendre les plombiers français, pourtant une des cibles favorites des caricaturistes anglais. « En fait, la plomberie est plus avancée en France qu'en Angleterre. Ici, il y a dix formes de clefs, contre deux seulement en Angleterre [3]. »

Quant à la gracieuse Prudence Kilgour, elle s'est lancée dans la création de parfums, de savons et de laits parfumés à partir de Beaumont du Périgord, où cette Australienne vit avec son mari, un avocat écossais rencontré à Hong Kong. « Tout est fabriqué en France, tient-elle à préciser, j'habite ici et je trouve normal de faire travailler des sociétés françaises. » Son premier parfum, baptisé Prudence, a commencé à se vendre dans les

2. www.jeremyjosephs.com josephs@crit.univ-montp2.fr
3. *Le Monde* du 5 décembre 2005.

boutiques de Bergerac mais aussi à Paris. En attendant le Japon, l'Australie et l'Angleterre où elle a pris des contacts.

À sa manière, Prudence contribuera peut-être à augmenter encore l'excédent de la balance commerciale entre la Dordogne et l'Angleterre. En 2005, les exportations du département vers le Royaume-Uni se sont ainsi chiffrées à 127 millions d'euros et les importations à 7,5 millions d'euros. Cent vingt millions de bonus.

Revers de la médaille, ou juste retour de choses, les Britanniques installés dans le Périgord ne sont pas à l'abri de la faillite. En 2003, treize d'entre eux ont dû mettre la clef sous la porte. On raconte ainsi l'histoire de ce couple de soixante ans qui, après avoir vendu ses biens en Angleterre, a acheté une maison dans le Limousin et dépensé tout son argent pour la retaper. Ils se sont alors « installés » comme entrepreneurs, justement dans la rénovation des maisons. Ils ne parlaient toujours pas le français, ne comprenaient ni les imprimés à remplir ni les formalités à accomplir. Ils ont fini ruinés après s'être présentés au tribunal sans interprète[4].

Reste la face cachée de l'iceberg, le travail « au noir ». Selon un conseiller au tribunal de commerce de Haute-Vienne, on compte dans ce département autant d'entreprises britanniques déclarées que non déclarées et, chaque année, une demi-douzaine de fraudeurs sont poursuivis. On cite le cas de véritables bandes organisées, où chacun a son rôle : le plombier, le couvreur, le maçon. Ils repèrent une maison où des Anglais viennent de s'installer. Et ils

---

4. *Le Monde* du 7 décembre 2005.

proposent leurs services. En insistant sur leurs deux avantages : «nous parlons anglais et nous travaillons entièrement au noir».

Les entrepreneurs britanniques ne sont pas plus respectueux de l'environnement que leurs alter ego français. Heureusement, ils trouvent parfois sur leur chemin des compatriotes qui les empêchent d'agir. Un bel exemple de cet affrontement anglo-anglais se passe à Saint-Crépin, village tranquille entre Limousin et Périgord. «Les» Brooker-Carey ont acheté en 2003 le domaine de Bagatelle, un manoir du XVIIe siècle et un terrain de soixante-quinze hectares. Leur projet, déposé en bonne et due forme en avril 2005 : construire un circuit automobile de quatre kilomètres de long destiné aux voitures anciennes. En sus : un hôtel de luxe et un restaurant, prévus pour accueillir plusieurs milliers de personnes par an.

Heureusement, des Anglais veillent. Christophe Drew, un professeur à la retraite, mène la fronde contre ce projet avec l'aide d'un ancien expert près la Commission européenne, Desmond Kime. Cet éminent scientifique, qui veut protéger l'écosystème local, a notamment découvert à cet endroit trois nouvelles espèces de mille-pattes, animal dont il est un spécialiste reconnu.

Voitures de sport contre mille-pattes : comme on s'ennuierait sans ces Anglais !

CHAPITRE 15

Us et coutumes de Françangleterre

Au fait, que font-ils quand ils ne font rien, nos Anglais du Périgord ? De quoi parlent-ils quand ils sont entre eux, un dimanche par exemple, et que le temps s'écoule paisiblement ?

Si poser une question à un Anglais s'apparente toujours à une grave impolitesse, demander à une dame de la meilleure société anglo-périgourdine quels sont les sujets de conversation abordés dans sa famille ressemble à un crime contre la civilisation. Une sorte de tsunami de vulgarité. Un attentat contre ce qu'il y a de plus sacré pour un citoyen britannique : la protection de sa *privacy*. Nous commettons pourtant cette irréparable faute de goût, un dimanche dans une belle demeure des environs d'Issigeac.

Une fois remise de son émotion, une fois la question reposée, notre interlocutrice penche élégamment la tête de côté, ferme les yeux, comme pour aller chercher très profondément dans sa mémoire un souvenir plaisant. Et elle se lance : « De quoi parlons-nous quand nous sommes à la maison ? Je ne sais pas très bien. Sûrement pas de politique. Ni de religion. Et encore moins de sujets personnels. Non, nous parlons du temps, beaucoup du temps. Mais aussi de la maison, du plombier qui ne vient pas, de choses comme cela. »

Nous n'en saurons pas beaucoup plus et repartirons en nous promettant de toujours avoir à l'esprit cette observation de John Weightman, le traducteur de Claude Lévi-Strauss [1] : « Chez les Français, il n'est pas poli de laisser tomber une conversation ; chez les Anglais, il paraît parfois impoli de la lancer. »

Cette discrétion est aussi valable en public. « Avant même de commander son café, un Français aura râlé contre le temps, envoyé au diable deux ou trois hommes politiques, raconté la dernière histoire drôle. Nous ne verrons jamais cela avec un Anglais », remarque Anya, la patronne du pub d'Eymet.

Michael Bamberger décortique, avec humour et bienveillance, les prémices d'une conversation « sur un sujet tranchant » avec des Français. « Avant même que nous ayons ouvert la bouche, le Français commencera toujours par dire :

"Ah non, non, je ne suis pas du tout d'accord !"

Ou bien, selon les cas :

"Oui, oui, c'est exactement comme cela, je suis totalement d'accord !"

---

1. Cité par Olivier Barrot, *Mon Angleterre, précis d'anglopathie*, Perrin.

Au départ, le Français est toujours catégorique. Il faut qu'il ait un avis. Et puis, la discussion peut commencer. Alors, notre interlocuteur peut se révéler homme de nuances et de bonne foi. L'affrontement n'est pas dans nos habitudes, nous sommes plus souples. Pour un Français, il faut vite donner son opinion, quitte à revenir dessus, il faut s'affronter. »

Michael raconte ensuite comment sa fille, née en France, « avait pris des manières françaises » : « Un jour, elle arrive sur notre bateau et commence à rouspéter. On lui a dit : "Écoute ma chère, ici, tu es sur un bateau anglais, tu n'es pas en France". »

Retournons à notre sujet : de quoi parlent les Anglais du Périgord quand ils sont en famille ? Un thème, nous dit-on, est souvent à l'ordre du jour : l'organisation des différentes fêtes, comme les anniversaires, rythmant des vies se déroulant sans grandes aspérités. Et puis, il y a Noël, « la » fête, dont les préparatifs occupent bien plusieurs semaines, voire plusieurs mois. Selon un sondage effectué par Marie-Martine Gervais-Aguer[2], 38 % des Anglais du Périgord disent fêter Noël « d'une manière spécifiquement britannique », 3 % « d'une manière spécifiquement française » et 59 % « d'un mélange des deux ».

La famille « spécifiquement britannique » commencera par vérifier si toutes les cartes de Noël ont bien été envoyées, fera macérer le *Christmas pudding* au moins un mois à l'avance, choisira la dinde la plus énorme et veillera à ce que le mélange acide-sucré de la sauce aux

2. *Op. cit.*

airelles atteigne une sublimité indécelable pour un palais... normal. Sans oublier la soupe aux huîtres, les chaussettes pour récolter les cadeaux, les crackers (nos papillotes en plus sophistiqué), les chansons traditionnelles.

La famille « spécifiquement française », en général issue d'un couple mixte, accordera plus d'importance au réveillon du 24 décembre qu'à la journée même de Noël. Elle mettra ses souliers et non ses chaussettes devant le sapin, boira du champagne, mangera huîtres et foie gras, et, reprendra éventuellement une vieille discussion, initiatrice d'empoignades musclées, sur les bienfaits comparés du vin blanc et du vin rouge.

Porte-parole de la famille « mélange des deux », Lisa Moore résume son plan : « Nous avons invité beaucoup de nos amis pour une fête anglaise, mais avec un repas français. » Pas folle, Lisa : d'accord pour les cadeaux dans les chaussettes, mais pas pour la sauce aux airelles !

Pour assister à la messe de Noël, les Anglais choisiront dans leur immense majorité la solution « spécifiquement britannique ». La *« chaplaincy »* d'Aquitaine, partie du diocèse européen de l'Église anglicane fait célébrer des offices dans sept villes : Bordeaux, Chancelade, Limeuil, Monteton, Sorges, Chapdeuil et Ribérac. Les trois pasteurs anglicans du Périgord – contre six pasteurs protestants et une centaine de prêtres catholiques – sont fréquemment débordés compte tenu de la multiplication du nombre de leurs ouailles. Ils font souvent appel au pasteur protestant de Bergerac, Georges Philip. Cet homme truculent, joueur de trompette classique à ses heures, originaire du Gers voisin est marié à une Américaine. Sa bonne connaissance de l'anglais lui donne l'occasion de célébrer des offices bilingues. Il évoque ainsi une cérémonie funèbre

148

à Sainte-Foy-la-Grande ou un mariage à Périgueux. « Dans les deux cas, il fallait absolument trouver un pasteur bilingue car les familles étaient franco-anglaises. »

Culte commun aussi pour le mariage, en 1998, de Prudence Benatar et Gaël Lemée, viticulteurs du domaine de Gavarliac. Leur union est célébrée dans leur propriété de Labadie-Colombier, un ancien monastère vieux de plus de sept siècles. Maryse Lemée, la mère de Gaël, catholique, a fait consacrer la petite chapelle située à côté de leur maison. Prudence, elle aussi, est croyante. Mais protestante. Qu'à cela ne tienne : ils organisent, à leur manière, une cérémonie « dans les deux langues et dans les deux religions ». Prudence se souvient : « Tout le monde pleurait. »

Les Anglais du Périgord, parce qu'ils vivent en France mais aussi à la campagne, semblent découvrir les charmes du « dimanche à la française ». « Quand je suis arrivée, témoigne Janice Moody, je trouvais vos dimanches terriblement tristes. Avec la vie qui s'arrête, les magasins fermés. On ne voit pas de Français le dimanche, sauf si on est invité à déjeuner ! Maintenant, je comprends et j'apprécie cette journée consacrée à la famille. C'est tellement rare en Angleterre. Mon mari et moi, nous adorons ces dimanches avec nos filles, sans sortir. Rien qu'entre nous. »

À la différence des Français, les Anglais consacrent une bonne partie de leur dimanche, mais aussi des autres jours de la semaine, à lire les journaux. Catherine Noël et Florence Phelipeau, deux jeunes femmes qui ont quitté l'Éducation nationale pour s'occuper du « Tabac-Presse » d'Eymet se félicitent aussi de l'existence de cette clientèle. Si elles ont supprimé la pause de la mi-journée, c'est notamment, disent-elles, « pour permettre aux Anglais de la région, qui se lèvent plus tard, de venir chercher journaux et cigarettes ». Les journaux ce seront plutôt les quotidiens « hauts de gamme » comme le *Times* ou l'*Independant*, que les tabloïds à scandale. Leurs cigarettes préférées : les Benson gold, bien moins chères qu'en Angleterre et que certains achètent par dizaines de cartouches.

Les Britanniques se demandent toujours pourquoi les Français lisent si peu la presse. « Je viens d'aller à Paris en train, nous confiait un Anglais de Bergerac, aussitôt assis, je me suis mis à lire mes journaux. À un moment, j'ai levé les yeux et je me suis aperçu que j'étais le seul dans ce cas. Personne d'autre ne lisait un journal. »

On comprend dans ces conditions le succès du mensuel *French News*, devenu la lecture obligée de tout Anglais vivant dans le Périgord et, comme le dit en plaisantant un de ses responsables, « le seul journal de France dont le chiffre d'affaires est en constante augmentation ».

C'est en 1995 que Miranda Neame, âgée à l'époque de trente-huit ans, reprend *The News*, « une petite feuille à vocation nationale » imprimée à Eymet. Née à Londres, Miranda s'est installée en Corse à dix-huit ans puis a émigré vers le Lot-et-Garonne avant de poser ses valises à Périgueux. Avec Adam Brown, qui avait déjà édité un mensuel en Anglais, elle donne une nouvelle impulsion au *News*, qui deviendra *French News* en 2003.

Le but affirmé du mensuel est de donner à tous les « *residents and lovers of France* » un panorama relativement complet de l'actualité internationale et hexagonale. Dans le numéro de novembre 2005, on pouvait ainsi lire un long développement sur le budget agricole européen, un entretien avec Christine Ockrent, un reportage sur les hospices de Beaune et de nombreux articles dans le domaine culturel.

Le lecteur pourra surtout y trouver tout ce qui peut concerner la vie d'un Anglais en France. Du permis de conduire à la recette de la soupe à l'oignon en passant par une sélection des bons vins de Bordeaux et d'ailleurs. Dans *French News*, aussi, les programmes des cinémas, les horaires des cultes religieux, des conférences. C'est enfin dans ses petites annonces que l'on dégotera le spécialiste en réparation de fosses septiques parlant anglais, un *« English artisan, french qualified »*, un ancien inspecteur des impôts, un *« English chiropractor »*. Sans parler des adresses pour acheter les meilleures *« English sausages »*.

Vendant environ quarante mille exemplaires, *French News* n'est plus réservé aux seuls Périgourdins. Après des suppléments Aquitaine, Bretagne et Poitou-Charentes, on en attend maintenant pour le Limousin et peut-être la Provence. Miranda Neame, qui dirige à Périgueux une équipe de vingt-quatre personnes, dont un tiers d'Anglo-Saxons, a de nombreux projets de développement, dont celui de devenir hebdomadaire.

Les Anglais du Périgord peuvent aussi lire depuis quelques mois *Dordogne English News*, un supplément mensuel hebdomadaire en anglais édité sous l'égide de *Sud Ouest*, le principal quotidien local. Douze pages, comprenant notamment portraits et informations pratiques. Plus au sud, *Nice-Matin* a lancé en janvier 2006 *Let's go Riviera*, un bimensuel tirant à trente mille exemplaires et s'adressant aux cent soixante mille Anglophones vivant sur la Côte d'Azur. S'il reprend des articles traduits de *Nice-Matin*, *Let's go Riviera* offre aussi des textes originaux, et, bien sûr, des informations locales.

Une fois leurs journaux lus, nos Anglais participeront de bon cœur aux cérémonies « nationales », françaises s'entend. Ainsi, Monique Kermarrec, maire de Berbiguières, a l'habitude d'inviter en ces grandes occasions tous les gens du village à boire un verre à l'hôtel de ville. Le 8 mai 2005, on l'aurait entendue glisser discrètement à l'oreille du sous-préfet, qui avait honoré de sa présence cette petite cérémonie : « heureusement que les Anglais du village sont venus, sinon il n'y aurait pas grand monde ».

Nationalistes, va !

CHAPITRE 16

Les désenchantés

S'ils voulaient respecter un minimum les coutumes locales, nos Anglais devraient cesser de toujours parler de la France comme d'un paradis sur terre. À la longue, ils devraient savoir que grognassage et bougonnage restent les deux mamelles de notre beau pays et que les Français, qui passent leur temps à se plaindre, pourraient un jour être irrités par leur admiration béate. La France, si tu l'aimes, tu la critiques !

Les statistiques, heureusement, sont là pour nous montrer qu'il y a aussi des Britanniques malheureux chez nous. Environ un Anglais sur dix qui achètent une maison en Dordogne y réside moins d'un an et un sur quatre y reste entre un et cinq ans. Hormis les petits malins qui ont vendu leur propriété après avoir fait une confortable plus-value, mais continuent à vivre dans l'Hexagone, il reste donc une proportion non négligeable d'Anglais qui retraversent la Manche. Portrait de ces déçus.

Certains réalisent rapidement leur erreur. En général, aux premiers frimas. Jusque-là, tout s'était bien passé. Les enfants jouent dans le jardin, on mange une salade et on boit du rosé glacé sur la terrasse. Dehors, il y a du monde. Et toujours une fête dans le village voisin. Octobre arrive. La vie commence à se racornir. Le village sommeille. La nuit tombe vite sur de mornes veillées. L'homme regrette son pub, la femme ses magasins, les enfants leurs copains d'école. On commence à comprendre que l'on ne comprend pas vraiment ce pays. Les quelques mots de français appris à la va-vite ne suffisent pas à communiquer vraiment. Jour après jour, l'ennui, le mortel ennui, remplace l'enthousiasme du début. Il suffit alors d'un rien pour décider de lever le camp. Soit pour reprendre la route, plus au sud généralement. Soit pour rentrer à la maison.

« Les cas humains les plus durs ne sont pas forcément les marginaux, estime Martin Forst, responsable de l'antenne de la Commission européenne à Limoges, car ceux-ci sont venus ici, justement parce qu'ils se trouvaient au bout du rouleau. Ils ont acheté un lopin de terre, vivent de petits boulots et de petites combines. Ils ont l'habitude. Non, le plus dur, c'est pour ceux qui ont un métier. Ils ont vendu leur maison en Angleterre pour vivre, ont essayé de monter une activité et ont raté. C'est très dur psychologiquement mais aussi financièrement car, souvent, ils n'ont plus assez d'argent pour se réinstaller en Angleterre. »

Sally Jarron, qui sert, aussi, d'assistante sociale auprès de ses compatriotes installés dans la région, confirme que beaucoup d'entre eux ont des problèmes financiers. « Une fois qu'ils ont dépensé l'argent de la vente de leur maison en Angleterre, ils ont besoin de gagner leur vie. Et ce n'est pas facile. Même pour les Français, alors pour des gens qui ne parlent pas la langue ! »

Une solution : se remettre en route. Alison et Lee Avery, accompagnés de leurs deux filles de dix et huit ans, s'étaient installés au printemps 2004 près de Bergerac. Une fois les crédits payés, les dettes remboursées, il ne leur est plus resté grand-chose pour démarrer leur nouvelle vie. Qu'à cela ne tienne : Lee, plombier, et Alison, infirmière, comptant sur leur qualification et leur volonté, sont repartis pour Grasse.

D'autres ne vont pas si loin, et tentent leur chance dans les départements voisins. Avec le risque de tomber de Charybde en Scylla. Surtout si l'on croit le journaliste Tim King qui a une vision, aussi iconoclaste que sombre de nos campagnes : « La campagne britannique, habitat des riches, est chère à cause de sa rareté. La France rurale est tellement vaste qu'elle a toujours été, et sera de plus en plus, le refuge des pauvres [...] ; la plupart des gens qui s'installent dans la France rurale sont des exclus de la société française ou des Britanniques inconscients [1]. »

« De nombreux couples repartent après une ou plusieurs années », indique Lisa Parnoix, la présidente d'une association franco-britannique de la Creuse. Tout le monde n'a pas la vaillance de Louise Quick, trente ans, qui vit avec ses garçons de six, huit et neuf ans. À Bournemouth, Louise était ingénieur électronique. La voilà devenue femme de ménage occasionnelle autour de Naillat, une

---

1. *Prospect*, cité dans *Courrier International* du 17 au 23 février 2005.

bourgade de six cent cinquante âmes où elle a acheté une fermette en mauvais état.

D'autres n'ont pas le courage ou l'énergie de faire leurs bagages et de retourner en Angleterre. Ce n'est pourtant pas l'envie qui leur manque. Ken Farmer, le père de Janice Moody, par exemple. «En même temps, j'ai envie de repartir et je me sens trop vieux pour recommencer ma vie en Angleterre», dit cet homme de soixante-dix-neuf ans qui souffre d'ignorer le français. «Nous n'avons peut-être pas estimé à leur juste mesure les difficultés de vivre à l'étranger. Si ma fille n'était pas là, je pense que nous serions partis.»

Son épouse, Sybil, soixante-douze ans, n'est pas sur la même longueur d'onde. Elle adore «la vie française» et s'est fait de nombreux amis dans la région. Grande différence : Sybil parle français et suit régulièrement des cours pour s'améliorer. Beaucoup de couples âgés se trouvent dans cette situation. Obligée de faire un effort pour parler français, ne serait-ce que pour les courses ou l'école, la femme s'est plus facilement intégrée. Le mari, en revanche, est resté chez lui.

Par orgueil sans doute, les hommes, et pas seulement anglais, se décident moins vite que les femmes à «se lancer à l'eau» et à parler une langue étrangère. «J'aime beaucoup la manière, ici, dont les grands-parents s'occupent des enfants, ajoute Janice Moody, souvent ils les emmènent à l'école. En Angleterre, on paye quelqu'un pour faire cela. Les grands-parents, les vieux en général, ont l'air plus jeunes en Angleterre qu'ici. Ils voyagent, jouent au golf, aiment leur liberté.»

Dans les couples plus jeunes, en revanche, c'est souvent la femme qui trouve le temps long et regrette l'Angleterre.

« J'en vois fréquemment, témoigne Sally Jarron, qui avaient une vie très active en Angleterre, un travail intéressant, et qui se retrouvent ici avec comme seule occupation d'aller chercher les enfants à l'école. En plus, souvent leur mari resté en Angleterre n'est là que le week-end. Certaines sont vraiment malheureuses. »

« On ne peut pas toujours vivre à la marge de la vraie vie », explique joliment Janice Moody en évoquant son propre cas : « Quand j'habitais Sarlat, il y avait certes un tas de touristes l'été, mais l'hiver c'était terriblement mort. Je ne supportais plus cette tranquillité. Je voulais mener une existence plus active. Alors, nous avons déménagé pour venir à Eymet, où il y a plus de monde, plus de travail. »

Reste le cas de Jon Coshall. À Eymet, ils sont nombreux à regretter le départ de cet homme élégant de cinquante-cinq ans, qui a récemment quitté la région. Arrivé en France en 1967, il a été un des premiers Anglais à s'installer. Retourné une première fois en Angleterre, il est pourtant revenu. Alors, pourquoi ce nouveau départ ? « Pour un entrepreneur, la vie est trop difficile. Ici, il faut être fonctionnaire ! Il est plus facile de travailler en Angleterre. Je suis d'ailleurs impressionné par le nombre de Français qui me disent qu'il faut une autre révolution. Un de mes amis médecin m'a même déclaré qu'il fallait à la France une Maggie Thatcher. » Jon Coshall souhaitait monter une affaire pour construire un parking autour de l'aéroport. « Ils ont dit non, du fait, je pense, d'une dispute entre la mairie et la chambre de commerce. Il y a pourtant un vrai besoin. Mais personne ne m'a aidé. »

Désenchanté, Jon a jeté l'éponge.

CHAPITRE 17

Petites Anglaises et Frenchies d'amour

Comment navigue-t-on sur la carte du Tendre entre Tamise et Garonne ? Après avoir évoqué le vin, la maison, le travail, l'alimentation, les associations, les animaux, pourquoi ne pas terminer cette excursion dans la « Françangleterre » en parlant d'amour et laisser ainsi un parfum de fleur bleue flotter sur ces promenades périgourdines ? C'était en tout cas notre objectif que d'enquêter avec délicatesse sur les relations amoureuses entre Anglaises et Français, entre Françaises et Anglais. Comment s'aiment-ils les uns les autres ? Comment vivent-ils leur vie de couple « biculturel » ?

Croquant la vie à pleines dents du haut de leurs vingt-six ans, vivant ensemble depuis trois ans, Brigitte, espiègle fille d'aristocrates du Sud-Ouest et Steve, photographe londonien en vogue, semblaient particulièrement indiqués pour répondre à nos questions.

Nous avions, une fois encore, oublié l'essentiel : on n'interroge pas un Anglais. Enfin, on n'interroge jamais réellement un Anglais. Toujours, il parviendra à reprendre votre question pour la détourner, la ridiculiser, la hacher menu. À ce jeu, Steve montra un talent incomparable. « Vous voulez savoir si tous les Anglais sont sodomites ? », lâcha-t-il, avec un sourire à décrocher la lune. Non, ce n'était bien sûr pas la question, mais notre fin de promenade romantique avait déjà un sérieux coup dans l'aile. Nous nous consolâmes en pensant que Steve voulait, de bonne guerre, rendre sa pareille à Édith Cresson, qui, lorsqu'elle était à Matignon, avait déclaré sur une chaîne de télévision américaine : « L'homosexualité existe plus dans la tradition anglo-saxonne que dans la tradition latine. Tout le monde le sait. C'est un fait de civilisation. »

La conversation prit heureusement un tour moins scabreux. Grâce à Brigitte qui sut habilement glisser que « les Anglais assument mieux leur part de féminité que les Français ». Le débat était lancé. Il sera décliné en quatre séquences.

Première séquence, ou comment les Français voient les Anglaises.

Tout commence par « les petites Anglaises ». « En matière de sexualité, une telle chape de plomb pesait sur la France à cette époque que nous avions besoin de croire que c'était mieux ailleurs », témoigne François, quarante-cinq ans, qui n'hésite pas à comparer ses voyages initiatiques outre-Manche dans les années 70 à celui des jeunes communistes se rendant en Union soviétique. « Ils y allaient pour voir si la vie était vraiment différente là-bas. Ce qu'ils apercevaient dans les kolkhozes ou les universités ne les enthousiasmait pas, loin de là. Mais,

160

en rentrant il fallait quand même dire que c'était mieux là-bas. Même chose pour nous et les Anglaises. Nous rentrions souvent bredouilles, mais il fallait nous vanter de nos exploits. »

François a poursuivi cette quête de l'exotisme amoureux, ses petites Anglaises sont devenues des femmes. « Comme les hommes, décrète-t-il, les femmes anglaises ont un esprit de compétition exacerbé. Elles aiment bien diviser pour régner. Si tu es en vacances de neige, il y aura toujours une Anglaise pour demander aux hommes lequel skie le mieux. Manière de piquer un peu le coq. »

Les Français, enfin ceux que nous avons rencontrés, semblent d'accord pour trouver les Anglaises moins « hypocrites ». « Les Anglaises assument leurs défauts au lieu de les cacher », estime Pierre, cinquante ans, grand voyageur devant l'Éternel, qui ajoute : « Elles sont bien plus libres de leur corps. Elles veulent tout essayer et vont te le demander tout de go. Les Françaises, elles, vont se débrouiller pour t'y emmener. » Docte conclusion, définitive, de Pierre, aujourd'hui haut fonctionnaire international : « L'Anglaise est plus directive. »

Leur capacité à boire plus que la moyenne étonne aussi leurs chevaliers servants français. « Si l'Anglais doit boire un coup avant de se confier un tant soit peu, l'Anglaise doit en boire deux avant de faire l'amour », ironise l'un d'entre eux. Conséquence, peut-être, de cette alcoolisation excessive : « Les étreintes sont plus brutales, comme un combat », intervient Pierre en souvenir sans doute d'une expérience malheureuse où il s'en est sorti avec une épaule luxée. En revanche, en public, l'Anglaise est moins démonstrative. « Jamais elle ne vous embrassera dans la rue. Pas de frou-frou. »

Deuxième séquence, ou comment les Anglais voient les Françaises.

« Je ne dirai pas qu'elles s'occupent plus de leur maison, de leur cuisine, de leurs enfants que les Anglaises, ce qui tendrait à dire que nous, les Anglais, sommes plus machos. C'est plutôt qu'elles font mieux les choses. Quand une Française organise un repas, il faut que tout soit parfait », commente Malcolm. Steve conclut : « Quand je me promène seul à Paris, on (traduire : les filles) ne me regarde pas. Mais si je suis avec une belle fille, alors les Françaises me font les yeux doux. À Londres, j'ai l'impression que c'est un peu le contraire. Les filles feront attention à moi si je suis seul, donc libre. Mais pas du tout si je suis "en mains". »

Troisième séquence ou comment les Françaises voient les Anglais.

Michèle, d'abord. L'expérience de cette étudiante de Périgueux est pour le moment purement virtuelle. « Depuis toute petite, je rêve d'épouser un Anglais. Un voyou et un gentleman en même temps. Comme Hugues Grant dans *Quatre mariages et un enterrement*. Je ne sais pas pourquoi, mais ils ont quelque chose de plus que les Français. » Michèle, pour le moment, n'a pas encore rencontré son *english lover*.

Celles qui l'ont rencontré, voire épousé, sont unanimes pour louer, ou regretter, son indépendance. « En Angleterre, un homme reste rarement à la maison. Il peut aller boire un verre au pub avec ses amis sans provoquer une scène », disent-elles. Comme femmes et enfants sont plus indépendants, cela donne des couples et des familles bien différents. « En Angleterre, un couple c'est un peu une entreprise, une équipe. En France, on magnifie le couple. L'homme et la femme font beaucoup plus de choses ensemble. En Angleterre, on respecte l'égoïsme de chacun. Peut-être avec plus de franchise. »

Autre caractéristique de l'« Anglais » : sa pugnacité. « Il est toujours en train de se battre. Pour son école, pour son université, pour son entreprise, pour son club de foot, pour son pays. » Conclusion générale : « En Angleterre, dominer l'autre est une valeur, en France, l'important c'est de souffrir et ainsi de pouvoir revendiquer. »

Quatrième et dernière séquence, ou comment les Anglaises voient les Français.

« Il m'a fallu quinze ans pour que je distingue chez mon conjoint les défauts qui lui appartenaient en propre et ceux qui étaient dus à son éducation, sa famille, sa culture », prévient Judith, une Anglo-Américaine mariée à un Français. « Quand on dit que les Américains sont de grands enfants, cela me fait un peu rire, ajoute-t-elle, chez nous, à dix-huit ans, il est rare qu'un garçon reste encore dans sa famille. En France, non. J'en connais même beaucoup qui vivent chez papa-maman jusqu'à vingt-huit ou trente ans. Cela ne fait pas forcément des hommes très mûrs. Je sais maintenant un peu mieux pourquoi je reproche à mon mari de rarement assumer ses responsabilités. Comme si ce n'était jamais de sa faute. »

« Il faut bien sûr se méfier de toute globalisation », avertit aussi Jane, vingt-huit ans, qui travaille dans un cabinet de courtage d'assurances à Paris. Elle est d'accord avec Judith sur le manque de maturité des jeunes Français. « Oui, les garçons anglais sont plus mûrs. Ils travaillent, ils quittent leur famille beaucoup plus tôt. Même chose pour les filles. Nous aussi, on s'est mis au boulot très jeunes. À treize ans, déjà, on peut aller balayer les cheveux par terre chez le coiffeur ou laver des voitures. En France, cela paraît impossible. Cela doit même être interdit. On bosse aussi pendant les vacances et il est alors normal de donner à ses parents une petite partie de son salaire pour couvrir les frais de la maison. En France, on dénoncerait les parents à la DASS pour mauvais traitements ! »

Autre spécificité : leur sens de la famille. « Chez vous, résume une Anglaise de Bergerac mariée à un Français, on n'épouse pas un homme, on épouse sa famille. Heureusement, moi, je m'entends bien avec ma belle-famille. » Et cela commence jeune. « Ah, mes petits copains français et leurs parents chez qui il fallait aller manger le dimanche ! Avec mes amies anglaises, on n'arrêtait pas de se raconter des anecdotes à ce sujet ! », sourit Jane. Elle ajoute : « Ils sont aussi plus douillets, j'ai l'impression qu'ils se plaignent plus souvent d'un petit bouton sur la figure, et prennent déjà des tas de médicaments. »

Conclusion unanime : « Même si chez nous les journaux présentent tous les Français comme des machos, tout juste propres, amateurs de grenouilles et de saucisson à l'ail, on les aime bien nos petits *Frenchies*, surtout quand ils font les malins et croient être les rois du monde. »

Et l'histoire se terminera par le mariage d'une petite Anglaise et d'un gentil *Frenchy*.

CONCLUSION

Les rois carottes

Si le 23 mars 2002, jour de l'inauguration du premier vol à bas prix entre Londres et Bergerac, marque le début de la grande invasion britannique. Certains seront peut-être tentés de faire du 20 janvier 2006 le point de départ du mouvement de libération du Périgord. Ce jour-là, en effet, une information en provenance du conseil général allait se répandre comme une traînée de poudre, faisant même les titres des journaux télévisés nationaux : des Anglais vivant en Dordogne auraient touché indûment le revenu minimum d'insertion (RMI).

Certes, ils n'étaient pas bien nombreux sur cette liste d'infamie. Soixante, très exactement. Soixante sur cent cinquante autres étrangers pris la main dans le sac. Soixante sur sept mille allocataires du RMI dans le département. Soixante sur un million cent quarante-neuf mille en France. Mais, soixante quand même.

Certains esprits cartésiens considéreront cette escroquerie comme le signe d'une saine intégration des Anglais : ne suppose-t-elle pas une bonne connaissance de la jungle administrative française ? D'autres optimistes feront valoir que la fraude étant, dit-on, un sport national, il est heureux que nos amis arrivés d'outre-Manche commencent à s'y mettre.

Beaucoup ont enfourché d'autres chevaux. « Depuis Thatcher, la Grande-Bretagne est accoutumée à bénéficier de privilèges. L'Europe pusillanime a cédé, cédé sans cesse à leurs jérémiades *(sic)* et à leurs chantages les plus divers », écrit un internaute sur le site de France 2. Un autre, profitant de l'occasion, attaque au passage « l'esprit libéral » dont les Britanniques seraient les hérauts : « ne rien payer et vivre aux dépens des peuples ».

Ce n'est pas la première fois que la présence britannique en France suscite de telles réactions. En février 2005, une poignée de militants, proches de l'extrême gauche et du nationalisme breton, avaient ainsi manifesté à Bourbriac sur le thème « La Bretagne n'est pas à vendre » et quelques pancartes hostiles aux Anglais furent brandies. Critiqué, notamment par ses propres militants, pour la coloration trop chauvine de ce rassemblement, un des responsables du mouvement tint à préciser par la suite que : « les prolétaires de Grande-Bretagne sont bienvenus ici ». Ouf !

Davantage d'humour à Argentière, dans les Alpes-de-Haute-Provence, où des plaisantins ont placardé une affiche sur laquelle on pouvait lire : « On recherche jeune fille âgée d'une quinzaine d'années, vierge, possédant un cheval, une armée, une épée, pour renvoyer les Anglais de l'autre côté de la Manche. »

Dans le Périgord, quelques Anglais ont trouvé des inscriptions vengeresses *« English, go home ! »* sur leurs poubelles et Miranda Neame, la rédactrice en chef de *French News*, reconnaît que pour la première fois, en 2005, elle a reçu des lettres hostiles.

Rien de bien terrible, donc, jusqu'à présent. Des caresses par rapport à ce que tabloïds anglais déversent sur les Froggies.

Oui, dans les bistrots de Périgueux ou Bergerac, il est de bon ton de râler contre ces Anglais qui « se prennent pour des rois carottes ». Mais pour, quelques minutes plus tard, ajouter : ces gens là ont quand même une sacrée classe.

Oui, de nombreux Périgourdins affirment en vouloir à « ces Anglais, quand même ! ». Pour, aussitôt, dire tout le bien qu'ils pensent de leurs voisins, « des Anglais pas prétentieux pour un sou, qui commencent à bien parler le français et qui nous gardent la maison quand nous ne sommes pas là ».

L'affaire des « soixante fraudeurs », c'est peut-être sous ce nom qu'ils entreront dans l'Histoire, a pourtant révélé l'existence d'une vague plus forte. « Depuis le non au référendum, je sens un ressentiment plus profond. Pour la première fois, les gens se plaignent directement à moi. Dans les réunions de quartier, je suis souvent obligé de hausser le ton et de dire aux personnes présentes : "mais arrêtez de vous en prendre comme cela aux Anglais !" », regrette Daniel Guarrigue, le maire de Bergerac. « Je sens aussi un malaise depuis quelques mois, confirme Peter Hackett, professeur d'anglais spécialiste des Beatles. Avant, j'entendais plus souvent dire : « les Anglais retapent les maisons », que « les Anglais font flamber les prix ». Aujourd'hui, c'est l'inverse. Certains estiment que les problèmes commencent lorsque les immigrés dépassent 6 % de la population. » Sur le RMI, Peter est formel : « Je ne paye pas mes impôts pour permettre à des Anglais de frauder. »

Ce vent mauvais ne sera sans doute que passager.

Certains ne vont pas manquer de s'en servir. On veut bien croire Léon-Pierre Durin, qui siège maintenant parmi les divers droite au conseil général de la Dordogne, après avoir fait partie du Front national de Jean-Marie Le Pen et du MNR de Bruno Mégret, quand il dit « Croyez-moi, je ne suis pas anti-rosbif ». Mais l'utilisation qu'il fait du « scandale du RMI » n'est pas totalement innocente.

Voilà que la politique s'en mêle.

Il est temps pour l'auteur de ces lignes de céder la place aux bateleurs et de quitter discrètement cette « Françangleterre » du Périgord, où derrière les clichés, il a d'abord rencontré des gens vraiment amoureux de cette terre et qui la respectent.

Et de laisser le dernier mot à Jérémie. Ce garçon de dix ans, élève à Eymet, interrogé sur ce qu'il pense de ses copains anglais, répond :

« Il faut les aimer. Ce sont aussi des êtres humains ! »

REMERCIEMENTS

Merci à Jean-Jacques Hekkers et à « Biffi » pour leur complicité active.

Merci à Yolanda et Jan, Jenny et Guy, Christine et Étienne pour leur hospitalité.

Et un grand « Thank you » à Janice Moody pour sa précieuse collaboration.

Ce livre a été édité par Agnès Monneret

Mis en pages par DV Arts Graphiques à Chartres,
cet ouvrage a été achevé d'imprimer
en mars 2006, sur système Variquik
par l'imprimerie Sagim-Canale à Courtry
pour le compte des Éditions Michalon